LE TROISIÈME MENSONGE

– On m'appelle Claus T. Est-ce mon nom ? Dès l'enfance, j'ai appris à mentir. Dans ce centre de rééducation où je me remettais lentement d'une étrange maladie, on me mentait et je mentais déjà. J'ai menti encore quand j'ai franchi la frontière de mon pays natal. Puis j'ai menti dans mes livres. Bien des années plus tard, je franchis la frontière dans l'autre sens. Je veux retrouver mon frère, un frère qui n'existe peut-être pas. Mentirai-je une dernière fois ?

– Je m'appelle Klaus T. Mais personne ne me connaît sous ce nom-là. Depuis que mon frère jumeau a disparu, il y a cinquante ans de cela, ma vie n'a plus beaucoup de sens. J'ai longtemps attendu son retour. S'il revenait aujourd'hui, je serais pourtant obligé de lui mentir.

Après les horreurs de la guerre (*Le Grand Cahier*) et les années noires d'un régime de plomb (*La Preuve*), le temps serait-il venu d'ouvrir les yeux sur la vérité ? Mais la vérité ne serait alors qu'un mensonge de plus car « un livre, si triste soit-il, ne peut être aussi triste qu'une vie ».

Agota Kristof est née en Hongrie, d'où elle s'est enfuie en 1956. Installée depuis lors à Neuchâtel, en Suisse, elle écrit d'abord des pièces de théâtre, avant de commencer sa trilogie romanesque directement en français, la langue de son exil. Le Troisième Mensonge, *qui a été couronné par le prix du Livre Inter en 1992, est le dernier volet d'une trilogie qui commence avec* Le Grand Cahier *et se poursuit avec* La Preuve.

DU MÊME AUTEUR

Le Grand Cahier
Prix européen de l'ADELF
Seuil, 1986
et « Points », n° P41

La Preuve
Seuil, 1988
et « Points », n° P42

Le Grand Cahier, La Preuve
et Le Troisième Mensonge
en un seul volume relié
Seuil, 1991

Hier
Seuil, 1995
et « Points », n° P293

Agota Kristof

LE TROISIÈME MENSONGE

ROMAN

Éditions du Seuil

TEXTE INTÉGRAL

ISBN 2-02-025781-5
(ISBN 2-02-013503-5, 1re édition
ISBN 2-02-019957-2, 1re publication poche)

L'auteur remercie la fondation Pro Helvetia d'avoir apporté son aide à la rédaction de cet ouvrage.

Première partie

Je suis en prison dans la petite ville de mon enfance.

Ce n'est pas une vraie prison, c'est une cellule dans le bâtiment de la police locale, un bâtiment qui n'est qu'une maison comme les autres maisons de la ville, une maison à un seul étage.

Ma cellule devait être une buanderie autrefois, sa porte et sa fenêtre donnent sur la cour. Les barreaux de la fenêtre ont été rajoutés à l'intérieur de façon qu'il soit impossible d'atteindre et de casser la vitre. Un coin toilette est caché derrière un rideau. Contre un des murs, il y a une table et quatre chaises vissées au sol, contre le mur d'en face quatre lits que l'on peut rabattre. Trois des lits sont rabattus.

Je suis seul dans ma cellule. Il n'y a que peu de criminels dans cette ville et, quand il y en a un, on le transporte immédiatement dans la ville voisine, chef-lieu de la contrée, à vingt kilomètres d'ici.

Moi, je ne suis pas un criminel. Si je suis là, c'est seulement parce que mes papiers ne sont pas en règle, mon visa n'est plus valable. J'ai aussi fait des dettes.

Le matin, mon gardien m'apporte le petit déjeuner, du lait, du café, du pain. Je bois un peu de café et je vais prendre ma douche. Mon gardien finit mon petit déjeuner et nettoie ma cellule. La porte reste ouverte, je peux sortir dans la cour si j'en ai envie. C'est une cour entourée de hauts murs couverts de lierre et de vigne sauvage. Derrière l'un de ces murs, à gauche en sortant de ma cellule, il y a le préau d'une école. J'entends les enfants rire, jouer et crier pendant les récréations. L'école était déjà là quand j'étais enfant, je m'en souviens, bien que je n'y sois jamais allé, mais la prison se trouvait ailleurs à l'époque, je m'en souviens aussi parce que j'y suis allé une fois.

Pendant une heure le matin, et pendant une heure le soir, je marche dans la cour. C'est une habitude que j'ai prise dans mon enfance quand, à l'âge de cinq ans, j'ai dû réapprendre à marcher.

Cela agace mon gardien, car alors je ne parle pas et je n'entends aucune question.

Les yeux fixés par terre, les mains derrière le dos, je marche, je tourne en longeant les murs. Le sol est pavé, mais dans l'interstice des pierres l'herbe pousse.

La cour est presque carrée. Quinze pas en longueur, treize en largeur. En supposant que je fasse des pas d'un mètre, la superficie de la cour serait de cent quatre-vingt-quinze mètres carrés. Mais mes pas sont certainement plus courts.

Au milieu de la cour, il y a une table ronde avec deux chaises de jardin, et contre le mur du fond, un banc en bois.

C'est en m'asseyant sur ce banc que je peux voir la plus grande partie du ciel de mon enfance.

Le premier jour déjà, la libraire est venue me rendre visite en m'apportant mes effets personnels et un potage aux légumes. Elle continue à venir tous les jours vers midi avec son potage. Je lui dis que je suis bien nourri ici, le gardien m'apporte du restaurant d'en face un repas complet deux fois par jour, mais elle continue à venir avec son potage. J'en mange un peu par politesse, puis je passe la casserole à mon gardien qui mange le reste.

Je fais mes excuses à la libraire pour le désordre que j'ai laissé dans son appartement.

Elle me dit :

– Quelle importance ? Nous avons déjà tout nettoyé, ma fille et moi. Il y avait surtout beaucoup de papiers. J'ai brûlé les feuilles froissées et celles qui étaient jetées dans la corbeille à papier. Les autres, je les ai laissées sur la table, mais la police est venue et les a prises.

Je reste un moment silencieux, puis je dis :

– Je vous dois encore deux mois de loyer.

Elle rit :

– Je vous ai demandé bien trop cher pour ce petit appartement. Mais si vous y tenez, vous pourrez me rembourser quand vous reviendrez. L'an prochain, peut-être.

Je dis :

– Je ne pense pas que je reviendrai. C'est mon ambassade qui vous remboursera.

Elle me demande si j'ai besoin de quelque chose, je dis :

– Oui, du papier et des crayons. Mais je n'ai plus du tout d'argent.

Elle dit :

– J'aurais dû y penser toute seule.

Le lendemain, elle revient avec son potage, un paquet de feuilles quadrillées et des crayons.

Je lui dis :

– Merci. L'ambassade vous remboursera tout cela.

Elle dit :

– Vous parlez tout le temps de remboursement.

J'aimerais que vous parliez d'autre chose. Par exemple, qu'écrivez-vous ?

– Ce que j'écris n'a aucune importance.

Elle insiste :

– Ce qui m'intéresse, c'est de savoir si vous écrivez des choses vraies ou des choses inventées.

Je lui réponds que j'essaie d'écrire des histoires vraies mais, à un moment donné, l'histoire devient insupportable par sa vérité même, alors je suis obligé de la changer. Je lui dis que j'essaie de raconter mon histoire, mais que je ne le peux pas, je n'en ai pas le courage, elle me fait trop mal. Alors, j'embellis tout et je décris les choses non comme elles se sont passées, mais comme j'aurais voulu qu'elles se soient passées.

Elle dit :

– Oui. Il y a des vies qui sont plus tristes que le plus triste des livres.

Je dis :

– C'est cela. Un livre, si triste soit-il, ne peut être aussi triste qu'une vie.

Après un silence, elle demande :

– Votre claudication, c'est un accident ?

– Non, une maladie dans ma petite enfance.

Elle ajoute :

– On ne s'en aperçoit presque pas.

Je ris.

J'ai de nouveau de quoi écrire, mais je n'ai rien à boire et pas de cigarettes non plus, sauf deux ou trois que m'offre mon gardien après les repas. Je sollicite une entrevue de l'officier de police, qui me reçoit aussitôt. Son bureau est à l'étage. Je monte. Je m'assieds sur une chaise en face de lui. Il a des cheveux roux, son visage est couvert de taches de rousseur. Sur la table, devant lui, une partie de jeu d'échecs est en cours. L'officier regarde le jeu, avance un pion, note le pas dans un carnet, lève ses yeux bleu pâle :

– Que désirez-vous ? L'enquête n'est pas encore terminée. Il faudra plusieurs semaines, un mois peut-être.

Je dis :

– Je ne suis pas pressé. Je me sens très bien ici. Sauf que je manque de certaines petites choses.

– Par exemple ?

– Si vous pouviez ajouter à mes frais de détention un litre de vin et deux paquets de cigarettes par jour, l'ambassade n'aurait rien à y redire.

Il dit :

– Non. Mais ce serait mauvais pour votre santé.

Je dis :

– Savez-vous ce qui peut arriver à un alcoolique que l'on prive brusquement ?

Il dit :

– Non. Et je m'en fous.

Je dis :

– Je risque le delirium tremens. Je peux mourir d'un instant à l'autre.

– Sans blague.

Il baisse les yeux sur le jeu. Je lui dis :

– Le cheval noir.

Il continue à fixer le jeu :

– Pourquoi ? Je ne vois pas.

J'avance le cheval. Il note dans son carnet. Il réfléchit longuement. Il prend la tour.

– Non !

Il repose la tour, il me regarde :

– Vous êtes un bon joueur ?

– Je ne sais pas. Il y a longtemps que je n'ai pas joué. En tout cas, je suis plus fort que vous.

Il devient plus rouge que ses taches :

– Je n'ai commencé qu'il y a trois mois. Et sans personne pour m'apprendre. Vous pourriez me donner quelques leçons ?

Je dis :

– Volontiers. Mais il ne faut pas vous fâcher si je gagne.

Il dit :

– Gagner ne m'intéresse pas. Ce que je veux, c'est apprendre.

Je me lève :

– Venez avec votre jeu quand vous voulez. De préférence le matin. A ce moment l'esprit est plus vif que l'après-midi ou le soir.

Il dit :

– Merci.

Il baisse les yeux sur le jeu, j'attends, je tousse.

– Et pour le vin et les cigarettes ?

Il dit :

– Aucun problème. Je vais donner des ordres. Vous aurez vos cigarettes et votre vin.

Je sors de chez l'officier. Je descends, je reste dans la cour. Je m'assieds sur le banc. L'automne est très doux cette année. Le soleil se couche, le ciel prend des couleurs, orange, jaune, violet, rouge, et d'autres couleurs pour lesquelles il n'existe pas de mots.

Je joue presque tous les jours aux échecs avec l'officier pendant environ deux heures. Les parties sont longues, l'officier réfléchit beaucoup, note tout, perd toujours.

Je joue aussi aux cartes avec mon gardien, l'après-midi, quand la libraire range son tricot et s'en va pour ouvrir son magasin. Les jeux de cartes de ce pays ne ressemblent à aucun autre. Bien qu'ils soient simples et qu'il y entre une grande partie de chance, je perds continuellement. Nous jouons à l'argent, mais comme je n'en possède pas, mon gardien inscrit mes dettes sur une ardoise. Après chaque partie, il rit très fort en répétant :

– Je suis cocu ! Je suis cocu !

Il est jeune marié, sa femme aura un bébé dans quelques mois. Il dit souvent :

– Si c'est un garçon et si vous êtes encore là, j'efface votre ardoise.

Il parle souvent de sa femme, il dit combien elle est belle, surtout maintenant qu'elle a pris du poids et que ses seins et ses fesses ont presque doublé de volume. Il me raconte aussi en détail leur rencontre, leur « fréquentation », leurs promenades d'amoureux dans la forêt, sa résistance à elle, sa victoire à lui, le mariage rapide, devenu urgent à cause du bébé à venir.

Mais ce qu'il raconte encore plus en détail et avec le plus de plaisir, c'est le repas du soir de la veille. Comment sa femme l'a préparé, avec quels ingrédients, de quelle façon et en combien de temps, car « plus ça mijote, meilleur c'est ».

L'officier ne parle pas, ne raconte rien. La seule confidence qu'il m'ait faite, c'est qu'il rejouait d'après ses notes nos parties d'échecs tout seul, une fois l'après-midi dans son bureau, et une seconde fois le soir, chez lui. Je lui ai demandé s'il était marié, il m'a répondu en haussant les épaules :

– Marié ? Moi ?

La libraire ne raconte rien non plus. Elle dit qu'elle n'a rien à raconter, elle a élevé deux enfants et, depuis six ans, elle est veuve, c'est tout. Quand elle me pose des questions sur ma vie dans l'autre pays, je lui réponds que j'en ai encore moins à raconter qu'elle, parce que je n'ai élevé aucun enfant et je n'ai jamais eu de femme.

Un jour, elle me dit :

– Nous avons à peu près le même âge.

Je proteste :

– Cela m'étonnerait. Vous avez l'air beaucoup plus jeune que moi.

Elle rougit :

– Allons donc. Je ne cherche pas les compliments. Ce que je voulais dire, c'est que si vous avez passé votre enfance dans cette ville, nous devions forcément fréquenter la même école.

Je dis :

– Oui, sauf que moi, je n'allais pas à l'école.

– Ce n'est pas possible. L'école était déjà obligatoire.

– Pas pour moi. J'étais débile mental à l'époque.

Elle dit :

– On ne peut pas parler sérieusement avec vous. Vous plaisantez tout le temps.

J'ai une maladie grave. Aujourd'hui, il y a exactement un an que je le sais.

Cela a commencé dans l'autre pays, dans mon pays d'adoption, un matin du début de novembre. A cinq heures.

Dehors, il fait encore nuit. J'ai du mal à respirer. Une douleur intense bloque ma respiration. Cette douleur part de ma poitrine, envahit mes côtes, mon dos, mes épaules, mes bras, ma gorge, ma nuque, mes mâchoires. Comme si une main immense voulait broyer tout le haut de mon corps.

Tendre le bras, lentement, allumer la lampe de chevet.

S'asseoir doucement dans le lit. Attendre. Se lever. Aller jusqu'au bureau, jusqu'au téléphone. Se rasseoir sur la chaise. Appeler les ambulances. Non ! Pas les ambulances. Attendre.

Aller à la cuisine, faire du café. Ne pas se presser. Ne pas prendre d'aspiration profonde. Respirer lentement, doucement, calmement.

Après le café, se doucher, se raser, se laver les dents. Retourner dans la chambre, s'habiller. Attendre huit heures et téléphoner non pas aux ambulances, mais à un taxi et à mon médecin habituel.

Il me reçoit en urgence. Il m'écoute, il me fait une radiographie des poumons, examine mon cœur, mesure ma tension.

– Rhabillez-vous.

Nous sommes maintenant l'un en face de l'autre dans son bureau.

– Vous fumez toujours ? Combien ? Vous buvez toujours ? Combien ?

Je réponds sans mentir. A lui, je n'ai jamais menti, je crois. Je sais qu'il s'en fiche complètement, et de ma santé, et de ma maladie.

Il écrit dans mon dossier, il me regarde :

– Vous faites tout pour vous détruire. C'est votre affaire. Cela ne regarde que vous. Il y a déjà dix ans que je vous ai formellement interdit de fumer et de boire. Vous continuez. Mais si vous voulez vivre encore quelques années, il faut que vous arrêtiez immédiatement.

Je demande :

– Qu'est-ce que j'ai ?

– Une angine de poitrine, probablement. C'était à prévoir. Mais je ne suis pas un spécialiste du cœur.

Il me tend une feuille :

– Je vous recommande à un cardiologue renommé. Allez avec ça à son hôpital pour un examen approfondi. Le plus tôt sera le mieux. En attendant, prenez ces médicaments en cas de douleur.

Il me donne une ordonnance. Je demande :

– On va m'opérer ?

Il dit :

– S'il en est encore temps.

– Sinon ?

– Vous pouvez avoir un infarctus n'importe quand.

Je vais à la pharmacie la plus proche, je reçois deux

boîtes de médicaments. Dans l'une d'elles, des calmants d'usage courant ; sur l'autre, je lis : « Trinitrine, indication : angine de poitrine, composition : Nitroglycerinum. »

Je rentre, je prends un comprimé de chaque boîte, je me couche sur mon lit. Les douleurs disparaissent rapidement, je m'endors.

Je marche dans les rues de la ville de mon enfance. C'est une ville morte, les fenêtres et les portes des maisons sont fermées, le silence est total.

J'arrive dans une vieille rue large bordée de maisons en bois, de granges décrépites. Le sol est poussiéreux et il m'est doux de marcher pieds nus dans cette poussière.

Une tension étrange règne pourtant.

Je me retourne et je vois un puma à l'autre bout de la rue. Un animal splendide, beige et doré, dont les poils soyeux brillent sous le soleil brûlant.

Soudain, tout brûle. Les maisons, les granges s'enflamment et je dois continuer ma marche dans cette rue enflammée, car le puma, lui aussi, se met en marche et me suit à distance avec une lenteur majestueuse.

Où se réfugier ? Il n'y a pas d'issue. Les flammes ou les crocs.

Peut-être au bout de la rue ?

Cette rue doit se terminer quelque part, toutes les rues se terminent, débouchent sur une place, sur une autre rue, dans les champs, dans la campagne, sauf s'il s'agit d'une impasse, ce doit être le cas ici, une impasse, oui.

Je sens le halètement du puma derrière moi, tout près de moi. Je n'ose pas me retourner, je ne peux plus avancer, mes pieds s'enracinent dans la terre. J'attends avec effroi que le puma, enfin, me saute sur le dos, qu'il me déchire des épaules jusqu'aux cuisses, qu'il me lacère la tête, le visage.

Mais le puma me dépasse, continue son chemin, impassible, pour se coucher aux pieds d'un enfant qui est là, au bout de la rue, un enfant qui n'était pas là auparavant, maintenant il est là, et il caresse le puma couché à ses pieds.

L'enfant me dit :

– Il n'est pas méchant, il est à moi. Il ne faut pas en avoir peur. Il ne mange pas les gens, il ne mange pas de viande, il ne mange que les âmes.

Il n'y a plus de flammes, le brasier s'est éteint, la rue n'est plus que cendres douces, refroidies.

Je demande à l'enfant :

– Tu es mon frère, n'est-ce pas ? Tu m'attendais ?

L'enfant secoue la tête :

– Non, je n'ai pas de frère, je n'attends personne. Je suis le gardien de l'éternelle jeunesse. Celui qui attend son frère est assis sur un banc, place Principale. Il est très vieux. Peut-être est-ce toi qu'il attend.

Je trouve mon frère assis sur un banc, place Principale. Quand il me voit, il se lève :

– Tu es en retard, dépêchons-nous.

Nous montons au cimetière, nous nous asseyons dans l'herbe jaune. Tout est pourri aux alentours, les croix, les arbres, les buissons, les fleurs. Mon frère, avec sa canne, remue la terre, des vers blancs en sortent.

Mon frère dit :

– Tout n'est pas mort. Ces choses-là sont vivantes.

Les vers grouillent. Leur vue me soulève le cœur. Je dis :

– Dès qu'on réfléchit, on ne peut pas aimer la vie.

Mon frère, avec sa canne, me relève le menton :

– Ne réfléchis pas. Regarde ! As-tu déjà vu un ciel aussi beau ?

Je lève les yeux. Le soleil se couche sur la ville.

Je réponds :

– Non, jamais. Nulle part ailleurs.

Nous marchons l'un à côté de l'autre jusqu'au château, nous nous arrêtons dans la cour, au pied des remparts. Mon frère grimpe sur la muraille et, arrivé au sommet, commence à danser sur une musique qui semble venir d'un souterrain. Il danse, agitant ses bras vers le ciel, vers les étoiles, vers la lune qui se lève, pleine. Silhouette maigre, dans son long manteau noir, il avance sur les remparts en dansant, moi, je le suis en bas en courant, en criant :

– Non ! Ne fais pas ça ! Arrête ! Descends ! Tu vas tomber !

Il s'arrête au-dessus de moi :

– Ne t'en souviens-tu pas ? Nous nous promenions sur les toits, nous n'avions jamais peur de tomber.

– Nous étions jeunes, nous n'avions pas le vertige. Descends de là !

Il rit :

– N'aie pas peur, je ne tomberai pas, je sais voler. Je plane sur la ville toutes les nuits.

Il lève les bras, il saute, il s'écrase sur les pavés de la cour juste à mes pieds. Je me penche sur lui, je prends sa tête chauve, son visage ridé dans mes mains, je pleure.

Le visage se décompose, les yeux disparaissent, et

je ne tiens plus dans mes mains qu'un crâne anonyme et friable qui s'écoule entre mes doigts comme du sable fin.

Je me réveille en larmes. Ma chambre est dans la pénombre, j'ai dormi pendant la plus grande partie de la journée. Je change ma chemise trempée de sueur, je me lave le visage. En me regardant dans le miroir, je me demande quand j'ai pleuré pour la dernière fois. Je ne m'en souviens pas.

J'allume une cigarette, je m'assieds devant la fenêtre, je regarde la nuit descendre sur la ville. Sous ma fenêtre, un jardin vide, avec un seul arbre déjà dénudé. Plus loin, des maisons, des fenêtres qui s'allument de plus en plus nombreuses. Derrière les fenêtres, des vies. Des vies calmes, des vies normales, tranquilles. Des couples, des enfants, des familles. J'entends aussi le bruit lointain des voitures. Je me demande pourquoi les gens roulent, même la nuit. Où vont-ils ? Pourquoi ?

La mort, bientôt, effacera tout.

Elle me fait peur.

J'ai peur de mourir, mais je n'irai pas à l'hôpital.

J'ai passé la plus grande partie de mon enfance dans un hôpital. Mes souvenirs en sont très précis. Je revois mon lit parmi une vingtaine d'autres lits, mon armoire dans le corridor, ma chaise roulante, mes béquilles, la salle de torture avec sa piscine, ses engins. Les tapis roulants où il fallait marcher à l'infini, soutenu par une sangle ; les anneaux auxquels il fallait se suspendre, les bicyclettes immobiles sur lesquelles il fallait continuer à pédaler même quand on hurlait de douleur.

Je me rappelle cette souffrance et aussi les odeurs, celle des médicaments à laquelle se mêlaient celles du sang, de la transpiration, de l'urine, des excréments.

Je me souviens encore des piqûres, des blouses blanches des infirmières, des questions sans réponses, et surtout de l'attente. L'attente de quoi ? De la guérison probablement, mais peut-être aussi d'autre chose.

On m'a appris plus tard que j'étais arrivé à l'hôpital dans un état comateux, au cours d'une grave maladie. J'avais quatre ans, la guerre commençait.

Ce qu'il y avait avant l'hôpital, je ne le sais plus.

La maison blanche aux volets verts dans une rue tranquille, la cuisine où ma mère chantait, la cour où mon père coupait du bois, le bonheur parfait dans la maison blanche était-il une réalité autrefois, ou bien l'avais-je seulement rêvé ou imaginé pendant les longues nuits de ces cinq années passées à l'hôpital ?

Et celui qui était couché dans l'autre lit de la petite chambre, et qui respirait au même rythme que moi, ce frère dont je crois encore savoir le nom, était-il mort, ou n'avait-il jamais existé ?

Un jour, nous avons changé d'hôpital. Celui-ci s'appelait « Centre de rééducation », mais c'était tout de même un hôpital. Les chambres, les lits, les armoires, les infirmières étaient les mêmes, et les exercices douloureux continuaient.

Un immense parc entourait le Centre. Nous pouvions sortir du bâtiment pour barboter dans une piscine de boue. Plus on se mettait de la boue sur soi, plus les infirmières étaient contentes. Nous pouvions aussi monter des poneys à longs poils qui nous promenaient sur leur dos lentement, à travers le parc.

A six ans, j'ai commencé l'école dans une petite salle de l'hôpital. Nous étions huit ou douze, cela dépendait de notre état de santé, à suivre des cours donnés par une institutrice.

L'institutrice ne portait pas de blouse blanche, mais des jupes courtes et moulantes avec des blouses de couleurs vives et des chaussures à talons hauts. Elle ne portait pas non plus de coiffe, ses cheveux flottaient librement sur ses épaules, leur couleur était semblable à celle des marrons qui tombaient des arbres du parc au mois de septembre.

Mes poches étaient pleines de ces fruits brillants. Je m'en servais pour bombarder les infirmières et les surveillantes. Le soir, je les lançais dans le lit de ceux qui geignaient ou pleuraient, pour les faire taire. J'en ai aussi lancé sur les vitres de la serre où un vieux jardinier cultivait des salades que nous étions obligés de manger. Un matin, très tôt, j'ai déposé une vingtaine de ces marrons devant la porte de la directrice, pour qu'elle dégringole l'escalier, mais elle s'est juste assise sur ses grosses fesses, et elle ne s'est rien cassé.

A cette époque, je n'étais plus assis dans une chaise roulante, je marchais avec des béquilles, on me disait que je faisais beaucoup de progrès.

J'allais en classe de huit heures à midi. Après le repas je faisais la sieste, mais, au lieu de dormir, je lisais les livres que l'institutrice me prêtait, ou ceux que j'empruntais à la directrice quand elle s'absentait de son bureau. L'après-midi je faisais mes exercices physiques comme tout le monde, le soir je devais encore faire mes devoirs.

Mes devoirs, je les faisais rapidement, puis j'écrivais des lettres. A l'institutrice. Je ne les lui donnais jamais. A mes parents, à mon frère. Je ne les envoyais jamais. Je ne connaissais pas leur adresse.

Presque trois ans ont passé ainsi. Je n'avais plus besoin de béquilles, je pouvais marcher avec une canne. Je savais lire, écrire, calculer. Nous n'avions pas de notes, mais je recevais souvent une étoile dorée que l'on collait à côté de notre nom affiché sur le mur. J'étais surtout fort en calcul mental.

L'institutrice avait une chambre à l'hôpital, mais elle n'y dormait pas toujours. Elle s'en allait en ville le soir, et ne revenait que le matin. Je lui ai demandé si elle voulait me prendre avec elle, elle m'a répondu que c'était impossible, je n'avais pas le droit de sortir du Centre, mais elle m'a promis de m'apporter du chocolat. Elle me donnait le chocolat en secret parce qu'il n'y en avait pas assez pour tout le monde.

Un soir, je lui ai dit :

– J'en ai assez de dormir avec des garçons. J'aimerais dormir avec une femme.

Elle a ri :

– Tu veux dormir dans la chambre des filles ?

– Non. Pas avec des filles. Avec une femme.

– Avec quelle femme ?

– Avec vous, par exemple. J'aimerais dormir dans votre chambre, dans votre lit.

Elle m'a embrassé sur les yeux :

– Les petits garçons de ton âge doivent dormir seuls.

– Vous aussi, vous dormez seule ?

– Oui, moi aussi.

Un après-midi, elle est venue sous ma cachette qui se trouvait en haut d'un noyer dont les branches faisaient une sorte de siège confortable où je pouvais lire et d'où on voyait la ville.

L'institutrice m'a dit :

– Ce soir, quand tous seront endormis, tu pourras venir dans ma chambre.

Je n'ai pas attendu qu'ils soient tous endormis. J'aurais pu attendre jusqu'au matin. Ils ne dormaient jamais tous en même temps. Il y avait ceux qui pleuraient, ceux qui allaient aux toilettes dix fois par nuit, ceux qui se mettaient dans le même lit pour faire des cochonneries, ceux qui parlaient jusqu'à l'aube.

J'ai donné mes gifles habituelles aux pleurnichards, puis je suis allé voir le petit blond paralytique qui ne bouge pas et ne parle pas. Il regarde seulement le plafond, ou bien le ciel quand on le sort, en souriant. J'ai pris sa main, je l'ai serrée contre mon visage, puis j'ai pris son visage à lui dans mes mains. Il a souri en regardant le plafond.

Je suis sorti du dortoir, je suis allé dans la chambre de l'institutrice. Elle n'était pas là. Je me suis couché dans son lit. Il sentait bon. Je me suis endormi. Quand je me suis réveillé, en pleine nuit, elle était couchée à côté de moi, les bras croisés devant son visage. J'ai décroisé ses bras, je les ai mis autour de moi, je me suis serré contre elle, je suis resté là, sans dormir, jusqu'au matin.

Certains d'entre nous recevaient des lettres que les infirmières leur distribuaient ou leur lisaient quand ils n'étaient pas capables de le faire. Plus tard, ceux qui n'étaient pas capables de lire, je leur lisais leurs lettres quand ils me le demandaient. En général, je lisais exactement le contraire de ce qui était écrit. Cela donnait par exemple : « Notre cher enfant, ne guéris surtout pas. Nous sommes très bien sans toi. Tu ne nous manques pas du tout. Nous espérons que tu resteras où tu es, car nous n'avons aucune envie d'avoir un handicapé chez nous. Nous t'embrassons tout de même un peu, et sois sage, car ceux qui s'occupent de toi ont bien du mérite. Nous n'en ferions pas autant. Nous avons de la chance que quelqu'un d'autre fasse pour toi ce que nous devrions faire, car nous n'avons plus de place pour toi dans notre famille où tout le monde est en bonne santé. Tes parents, tes sœurs, tes frères. »

Celui à qui j'avais lu sa lettre me disait :

– L'infirmière me l'a lue autrement, ma lettre.

Je disais :

– Elle te l'a lue autrement, parce qu'elle ne voulait pas te faire de peine. Moi, je t'ai lu ce qui est écrit. Tu as le droit de savoir la vérité, je pense.

Il disait :

– Oui, j'en ai le droit. Mais je n'aime pas la vérité.

C'était mieux avant. L'infirmière avait raison de me lire la lettre autrement.

Il pleurait.

Beaucoup parmi nous recevaient aussi des colis. Des gâteaux, des biscuits, du jambon, des saucissons, de la confiture, du miel. La directrice avait dit que les colis devaient être distribués entre nous tous. Il y avait tout de même des enfants qui cachaient de la nourriture dans leur lit ou dans leur armoire.

Je m'approchais de l'un d'eux, je lui demandais :

– Tu n'as pas peur que ce soit empoisonné ?

– Empoisonné ? Pourquoi ?

– Les parents préfèrent un enfant mort à un enfant infirme. Tu n'y as jamais pensé ?

– Non, jamais. Tu es un menteur. Va-t'en.

Plus tard, je voyais l'enfant jeter son colis dans les déchets du Centre.

Il y avait aussi les parents qui venaient rendre visite à leur enfant. Je les attendais au portail du Centre. Je leur demandais l'objet de leur visite, le nom de leur enfant. Quand ils avaient répondu, je leur disais :

– Désolé. Votre enfant est décédé depuis deux jours. N'avez-vous pas encore reçu la lettre ?

Après cela, je m'en allais en vitesse et je me cachais.

La directrice m'a convoqué. Elle m'a demandé :

– Pourquoi es-tu si méchant ?

– Méchant ? Moi ? Je ne vois pas de quoi vous parlez.

– Si, tu le vois très bien. Tu as annoncé le décès d'un enfant à ses parents.

– Et alors ? Il n'était pas mort ?

– Non. Et tu le sais très bien.

– J'ai dû me tromper de nom. Ils ont des noms qui se ressemblent tous.

– Sauf le tien, n'est-ce pas ? Mais aucun enfant n'est décédé cette semaine.

– Non ? Alors j'ai confondu avec la semaine passée.

– Oui, certainement. Mais je te conseille de ne plus confondre les noms, ni les semaines. Et je t'interdis de parler aux parents et aux visiteurs. Je t'interdis aussi de lire leurs lettres aux enfants qui ne savent pas lire.

J'ai dit :

– Je pensais seulement à rendre service.

Elle a dit :

– Je t'interdis de rendre service à qui que ce soit. As-tu compris ?

– Oui, madame la directrice, j'ai compris. Mais il ne faudrait pas que quelqu'un se plaigne si je ne l'aide pas à monter les escaliers, si je ne le relève pas quand il tombe, si je ne lui explique pas les calculs et si je ne corrige pas l'orthographe de sa lettre. Si vous m'interdisez de rendre service, interdisez aussi que l'on me demande des services.

Elle m'a regardé longuement et elle a dit :

– Bien. Sors d'ici.

Je suis sorti de son bureau, j'ai vu un enfant pleurer parce qu'il avait laissé tomber sa pomme et qu'il n'arrivait pas à la ramasser. Je suis passé à côté de lui en disant :

– Tu peux toujours pleurer, ça ne fera pas revenir ta pomme, maladroit.

Il m'a demandé, assis dans sa chaise :

– Tu ne veux pas me l'apporter, s'il te plaît ?

J'ai dit :

– Tu n'as qu'à te débrouiller seul, imbécile.

Le soir, la directrice est venue dans la salle à manger, elle a fait un discours et, à la fin, elle a dit qu'il ne fallait pas me demander de service, qu'il ne fallait demander de service à personne d'autre qu'aux infirmières, à l'institutrice et, éventuellement, à elle-même en cas de force majeure.

A la suite de tout cela, j'ai dû aller deux fois par semaine dans la petite chambre à côté de l'infirmerie où une très vieille femme se tenait assise dans un grand fauteuil avec une épaisse couverture sur les genoux. J'en avais déjà entendu parler. Les autres enfants qui allaient dans cette chambre racontaient que la vieille femme était très gentille, comme une grand-maman, et qu'on était bien avec elle, couché sur un lit de camp, ou bien assis à une table, à dessiner tout ce qu'on voulait. On pouvait aussi regarder des livres d'images, et on pouvait dire n'importe quoi.

La première fois que j'y suis allé, on ne s'est rien dit, juste bonjour, après je me suis ennuyé, ses livres ne m'intéressaient pas, je n'avais pas envie de dessiner, alors je marchais de la porte à la fenêtre et de la fenêtre à la porte.

Au bout d'un certain temps, elle m'a demandé :

– Pourquoi marches-tu ainsi, sans arrêt ?

Je me suis arrêté pour lui répondre :

– Je dois exercer ma jambe infirme. Je marche chaque fois que je peux, et que je n'ai rien d'autre à faire.

Elle m'a souri dans ses rides :

– Elle va très bien, cette jambe, me semble-t-il.

– Pas assez bien.

J'ai jeté ma canne sur le lit, j'ai fait quelques pas, je suis tombé près de la fenêtre :

– Vous voyez, comme elle va bien ?

J'ai rampé, j'ai récupéré ma canne :

– Quand je pourrai me passer de ça, ça ira.

Les fois suivantes, quand j'aurais dû y aller, je n'y allais pas. On m'a cherché partout, on ne m'a pas trouvé. J'étais assis dans les branches du noyer au fond du jardin. Seule l'institutrice connaissait cette cachette.

La dernière fois, c'est la directrice elle-même qui m'a emmené dans la petite chambre, juste après le repas de midi. Elle m'a poussé dans la chambre, je suis tombé sur le lit. J'y restais. La vieille femme me posait des questions :

– Te souviens-tu de tes parents ?

Je lui répondais :

– Non, pas du tout. Et vous ?

Elle continuait avec ses questions :

– A quoi penses-tu, le soir, avant de t'endormir ?

– A dormir. Pas vous ?

Elle me demandait :

– Tu as annoncé la mort de leur enfant à des parents. Pourquoi ?

– Pour leur faire plaisir.

– Pourquoi ?

– Parce que c'est un plaisir de savoir son enfant mort et non pas infirme.

– Comment le sais-tu ?

– Je le sais, c'est tout.

La vieille femme m'a encore demandé :

– Tu fais tout cela parce que tes parents à toi ne viennent jamais ?

Je lui ai dit :

– Qu'est-ce que ça peut vous faire ?

Elle a continué :

– Ils ne t'écrivent jamais. Ils n'envoient pas de colis. Alors, tu te venges sur les autres enfants.

Je me suis levé du lit, j'ai dit :

– Oui, et sur vous aussi.

Je l'ai frappée avec ma canne, je suis tombé.

Elle a hurlé.

Elle a continué à hurler et j'ai continué à la frapper, là, par terre, où je suis tombé. Mes coups n'atteignaient plus que ses jambes, ses genoux.

Des infirmières sont entrées, alertées par les hurlements. Elles m'ont immobilisé et m'ont emmené dans une petite chambre, pareille à l'autre, sauf qu'il n'y avait pas de bureau, pas de bibliothèque, seulement un lit et rien d'autre. Il y avait aussi des barreaux aux fenêtres, et la porte était fermée de l'extérieur.

J'ai dormi un moment.

Quand je me suis réveillé, j'ai frappé à la porte, j'ai donné des coups de pied dans la porte, j'ai crié. J'ai demandé mes affaires, mes devoirs, mes livres.

Personne ne me répondait.

Au milieu de la nuit, l'institutrice est entrée dans ma chambre, elle s'est couchée à côté de moi sur le lit étroit. J'ai caché mon visage dans ses cheveux et, brusquement, un grand tremblement m'a pris. Il a secoué tout mon corps, des hoquets sont sortis de ma bouche, mes yeux se sont remplis d'eau, mon nez coulait. Je sanglotais sans pouvoir m'arrêter.

Nous avions de moins en moins de nourriture au Centre, il fallait transformer le parc en jardin potager. Tous ceux qui le pouvaient y travaillaient sous la direction du vieux jardinier. Nous plantions des pommes de terre, des haricots, des carottes. Je regrettais de ne plus être assis dans une chaise roulante.

Nous devions aussi de plus en plus souvent descendre dans la cave à cause des alertes, et cela se passait presque toujours la nuit. Les infirmières portaient dans leurs bras ceux qui ne pouvaient pas marcher. Entre les tas des pommes de terre et les sacs de charbon, je retrouvais l'institutrice, je me serrais contre elle, et je lui disais qu'il ne fallait pas avoir peur.

Quand la bombe est tombée sur le Centre, nous étions en classe, et il n'y avait pas eu d'alerte. Les bombes commençaient à tomber autour de nous, les élèves se cachaient sous les tables, moi, je restais debout, j'étais justement en train de réciter un poème. L'institutrice s'est précipitée sur moi, elle m'a renversé à terre, je ne voyais rien, elle m'étouffait. J'ai essayé de la repousser, mais elle devenait de plus en plus lourde. Un liquide épais, tiède, salé me coulait dans les yeux, dans la bouche, dans le cou, j'ai perdu connaissance.

Je me suis réveillé dans une salle de gymnastique. Une religieuse était en train de me nettoyer le visage avec un chiffon humide, elle disait à quelqu'un :

– Celui-ci n'est pas blessé, je crois.

Je me suis mis à vomir.

Partout dans la salle de gymnastique des gens étaient couchés sur des paillasses. Enfants et adultes. Certains criaient, d'autres ne bougeaient pas, on ne pouvait pas savoir s'ils étaient morts ou vivants. Parmi eux, j'ai cherché l'institutrice mais je ne l'ai pas trouvée. Le petit blond paralytique n'y était pas, lui non plus.

Le lendemain, on m'a interrogé, on m'a posé des questions au sujet de mon nom, de mes parents, de mon adresse, mais j'ai fermé mes oreilles aux questions, je ne répondais plus, je ne parlais plus. Alors, on m'a cru sourd-muet, et on m'a laissé tranquille.

J'ai reçu une nouvelle canne et, un matin, une religieuse m'a pris par la main. Nous sommes allés à la gare, nous sommes montés dans un train, nous sommes arrivés dans une autre ville. Nous l'avons traversée à pied jusqu'à la toute dernière maison, près de la forêt. La sœur m'a laissé là, chez une vieille paysanne que j'ai appris plus tard à appeler « Grand-Mère ».

Elle m'appelait « fils de chienne ».

Je suis assis sur un banc à la gare. J'attends mon train. J'ai presque une heure d'avance.

D'ici, je vois toute la ville. La ville où j'ai vécu près de quarante ans.

Autrefois, quand je suis arrivé ici, c'était une petite ville charmante avec son lac, sa forêt, ses vieilles maisons basses, ses parcs nombreux. Maintenant, elle est coupée du lac par une autoroute, sa forêt est saccagée, ses parcs ont disparu, de hauts bâtiments neufs l'enlaidissent. Ses vieilles rues étroites sont encombrées de voitures jusque sur les trottoirs. Les vieux bistrots sont remplacés par des restaurants sans style ou par des self-services où on mange en vitesse, parfois même debout.

Je regarde cette ville pour la dernière fois. Je n'y reviendrai pas, je ne veux pas mourir ici.

Je n'ai dit au revoir ni adieu à personne. Je n'y ai plus d'amis, encore moins d'amies. Mes nombreuses maîtresses doivent être mariées, mères de famille, et plus très jeunes à présent. Il y a longtemps que je ne les reconnais plus dans la rue.

Mon meilleur ami, Peter, qui avait été mon tuteur dans ma jeunesse, est mort il y a deux ans d'un infarctus. Sa femme, Clara, qui fut ma maîtresse initiatrice, s'est donné la mort il y a déjà bien longtemps, car elle ne supportait pas l'approche de la vieillesse.

Je m'en vais sans laisser personne ni rien derrière moi. J'ai tout vendu. Tout, ce n'était pas grand-chose. Mes meubles ne valaient rien, mes livres encore moins. De mon vieux piano et de mes quelques tableaux j'ai pu tirer un peu d'argent, voilà tout.

Le train arrive, j'y monte. Je n'ai qu'une valise. Je pars d'ici avec guère plus de choses que je n'en avais en arrivant. Dans ce pays riche et libre, je n'ai pas fait fortune.

J'ai un visa de touriste pour mon pays natal, un visa valable seulement pour un mois, mais renouvelable. J'espère que mon argent suffira pour y vivre quelques mois, une année peut-être. J'ai aussi fait provision de médicaments.

Deux heures plus tard, j'arrive dans une grande gare internationale. Encore de l'attente, puis je prends un train de nuit dans lequel j'ai réservé une couchette. Une couchette du bas, car je sais que je ne vais pas dormir, et que je sortirai souvent pour fumer une cigarette.

Pour l'instant, je suis seul.

Lentement, le wagon se remplit. Une vieille femme, deux jeunes filles, un homme d'à peu près mon âge. Je vais dans le couloir, je fume, je regarde la nuit. Vers deux heures je me couche, et je crois que je dors un peu.

Tôt le matin, arrivée dans une autre grande gare. Trois heures d'attente que je passe au buffet avec quelques cafés.

Cette fois-ci, le train que je prends est un train de mon pays natal. Il n'y a que très peu de voyageurs. Les sièges sont inconfortables, les fenêtres sales, les cendriers pleins, le sol noir et collant, les toilettes presque inutilisables. Pas de wagon-restaurant, ni de buffet. Les voyageurs sortent leur déjeuner, mangent et laissent les papiers gras, les bouteilles vides sur la tablette de la fenêtre, ou bien ils les jettent par terre, sous les sièges.

Deux des voyageurs seulement parlent la langue de mon pays. Je les écoute, mais je ne leur parle pas.

Je regarde par la fenêtre. Le paysage change. Nous sortons d'une région montagneuse, nous arrivons dans une plaine.

Mes douleurs recommencent.

J'avale mes médicaments sans eau. Je n'ai pas pensé à prendre une boisson avec moi, et il me répugne d'en demander aux voyageurs.

Je ferme les yeux. Je sais que nous approchons de la frontière.

Nous y sommes. Le train s'arrête, des gardes-frontière, des douaniers, des policiers y montent. On me demande mes papiers, on me les rend avec un sourire. En revanche, les deux voyageurs qui parlent la langue du pays se font longuement interroger, et on fouille leurs bagages.

Le train repart et, à chaque arrêt, ne montent plus maintenant que des gens du pays.

Ma petite ville n'est pas desservie par les trains venant de l'étranger. J'arrive dans la ville voisine, plus à l'intérieur du pays, plus grande aussi. Je pourrais prendre tout de suite ma correspondance, on me montre le petit train rouge, composé de trois wagons, qui part du quai numéro un toutes les heures pour la petite ville. Je regarde le train partir.

Je sors de la gare, je prends un taxi, je me fais conduire dans un hôtel. Je monte dans la chambre, je me couche et je m'endors immédiatement.

Au réveil, j'ouvre les rideaux de ma fenêtre. Elle

donne sur l'ouest. Là-bas, derrière la montagne de ma petite ville, le soleil se couche.

Tous les jours, je vais à la gare, je regarde le train rouge arriver et repartir. Ensuite, je me promène dans la ville. Le soir, je bois des verres au bar de l'hôtel, ou dans un autre bistrot de la ville, avec des inconnus.

Ma chambre a un balcon. Je m'y assieds souvent, maintenant qu'il commence à faire chaud. De là, je vois un ciel immense, comme je n'en avais pas vu depuis quarante ans.

Je me promène de plus en plus loin dans la ville, je quitte même la ville, je me promène dans la campagne.

Je longe un mur de pierre et de métal. Derrière ce mur, un oiseau chante, et j'aperçois les branches dénudées des marronniers.

Le portail en fer forgé est ouvert. J'entre, je m'assieds sur la grande pierre couverte de mousse, près de l'entrée. Cette grosse pierre, nous l'appelions « la roche noire », pourtant elle n'a jamais été noire, elle était plutôt grise ou bleue, et maintenant elle est complètement verte.

Je regarde le parc, je le reconnais. Je reconnais aussi le grand bâtiment au fond du parc. Les arbres sont peut-être les mêmes, les oiseaux certainement pas. Tant d'années ont passé. Combien de temps vit un arbre ? Combien de temps vit un oiseau ? Je n'en ai aucune idée.

Et combien de temps vivent les gens ? Une éternité, me semble-t-il, car je vois la directrice du Centre qui s'approche.

Elle me demande :

– Que faites-vous ici, monsieur ?

Je me lève, je lui dis :

– Je regarde seulement, madame la directrice. J'ai passé ici cinq ans de mon enfance.

– Quand cela ?

– Il y a environ quarante ans. Quarante-cinq. Je vous reconnais. Vous étiez la directrice du Centre de rééducation.

Elle crie :

– Quelle impertinence ! Sachez, monsieur, qu'il y a quarante ans je n'étais même pas née, mais je reconnais les satyres de loin. Allez-vous-en ou j'appelle la police.

Je m'en vais, je retourne à mon hôtel, je bois des verres avec un inconnu. Je lui raconte mon histoire avec la directrice :

– Évidemment ce n'est pas la même. L'autre doit être morte.

Mon nouvel ami lève son verre :

– Conclusion : ou bien les directrices se ressemblent à travers les âges, ou bien elles vivent très longtemps. Demain, je t'accompagne à ton Centre. Tu pourras le visiter à ton aise.

Le lendemain, l'inconnu vient me chercher à l'hôtel. Il m'accompagne en voiture jusqu'au Centre. Juste avant d'entrer, devant le portail, il me dit :

– Vous savez, la vieille femme que vous avez vue, c'est bien la même. Seulement, elle n'est plus directrice ici, ni ailleurs. Je me suis renseigné. Votre Centre, c'est un hospice de vieillards maintenant.

Je dis :

– J'aimerais juste voir le dortoir. Et le jardin.

Le noyer est là, mais il me semble bien rabougri. Il va bientôt mourir.

Je dis à mon compagnon :

– Il va bientôt mourir, mon arbre.

Il dit :

– Ne soyez pas sentimental. Tout meurt.

Nous entrons dans le bâtiment. Nous marchons dans le corridor, nous entrons dans la chambre qui était à moi et à tant d'autres enfants il y a quarante ans. Je m'arrête sur le seuil, je regarde. Rien n'a changé. Une douzaine de lits, des murs blancs, des lits blancs, vides. Les lits sont toujours vides à cette heure.

En courant, je monte un étage, j'ouvre la porte de la chambre où j'avais été enfermé pendant plusieurs jours. Le lit est toujours là, à la même place. Peut-être est-ce le même lit.

Une jeune femme nous reconduit, elle dit :

– Tout a été bombardé ici. Mais tout a été reconstruit. Comme avant. Tout est comme avant. C'est un très beau bâtiment, il ne faut pas le changer.

Un après-midi mes douleurs reprennent. Je rentre à l'hôtel, je prends mes médicaments, je fais mes bagages, je règle ma note, j'appelle un taxi.

– A la gare.

Le taxi s'arrête devant la gare, je dis au chauffeur :

– Allez acheter mon billet pour la ville de K. Je suis malade.

Le chauffeur dit :

– Ce n'est pas mon travail. Je vous ai transporté jusqu'à la gare. Descendez. Je ne veux pas d'un malade.

Il pose ma valise sur le trottoir, il ouvre la portière de mon côté :

– Sortez de là. Sortez de ma voiture.

Je prends de l'argent étranger dans mon portefeuille, je le lui tends :

– Je vous en prie.

Le chauffeur entre dans le bâtiment de la gare, il revient avec mon billet, il m'aide à sortir de la voiture, il me prend par le bras, il porte ma valise, il m'accompagne sur le quai numéro un, il attend le train avec moi. Quand le train arrive, il m'aide à y monter, il place ma valise à côté de moi, il me recommande à l'attention du contrôleur.

Le train part. Il n'y a presque personne dans les compartiments. Il y est interdit de fumer.

Je ferme les yeux, mes douleurs s'atténuent. Le train s'arrête presque toutes les dix minutes. Je sais qu'il y a quarante ans j'ai déjà fait ce voyage.

Avant d'arriver à la gare de la petite ville, le train s'est arrêté. La religieuse m'a tiré par le bras, elle m'a secoué, je n'ai pas bougé. Elle a sauté du train, elle a couru, elle s'est couchée dans les champs. Tous les voyageurs ont couru, se sont couchés dans les champs. J'étais seul dans le compartiment. Des avions passaient au-dessus de nous, ils mitraillaient le train. Quand le silence est revenu, la religieuse est revenue aussi. Elle m'a giflé, le train est reparti.

J'ouvre les yeux. Nous allons bientôt arriver. Je vois déjà le nuage d'argent au-dessus de la montagne, puis apparaissent les tours du château et les clochers des nombreuses églises.

Le 22 du mois d'avril, après quarante ans d'absence, je suis de retour dans la petite ville de mon enfance.

La gare n'a pas changé. Elle est seulement plus propre et même fleurie, des fleurs d'ici dont je ne sais pas le nom, et que je n'ai jamais vues ailleurs.

Il y a aussi un autobus qui s'en va, occupé par les rares voyageurs du train et par les ouvriers de l'usine d'en face.

Moi, je ne prends pas le bus. Je reste là, devant la

gare, avec ma valise à terre, et je regarde l'allée des marronniers de la rue de la Gare qui mène à la ville.

– Je peux porter votre valise, monsieur ?

Un enfant d'une dizaine d'années se tient devant moi.

Il dit :

– Vous avez manqué le bus. Il n'y en aura pas d'autre avant une demi-heure.

Je lui dis :

– Cela ne fait rien. J'irai à pied.

Il dit :

– Votre valise est lourde.

Il soulève ma valise et il ne la lâche plus. Je ris :

– Oui, elle est lourde. Tu ne pourras pas la porter bien loin, je le sais. J'ai fait ce travail avant toi.

L'enfant dépose la valise :

– Ah, oui ? Quand ?

– Quand j'avais ton âge. Il y a longtemps.

– Et où ça ?

– Ici. Devant cette gare.

Il dit :

– Je peux très bien la porter, cette valise.

Je dis :

– Bon, mais laisse-moi dix minutes d'avance. Je veux marcher seul. Et prends ton temps, je ne suis pas pressé. Je t'attendrai au « Jardin noir ». S'il existe encore.

– Oui, monsieur, il existe.

Le « Jardin noir » est un petit parc au bout de l'allée des marronniers, et il n'a rien de noir, sauf la barrière de fer forgé qui l'entoure. Je m'assieds là sur un banc, j'attends l'enfant. Il arrive bientôt, dépose ma valise sur un autre banc en face de moi, il s'assied, essoufflé.

J'allume une cigarette, je demande :

– Pourquoi fais-tu ce travail ?

Il dit :

– Je veux m'acheter un vélo. Un vélo de cross. Voulez-vous me donner une cigarette ?

– Non, pas de cigarette pour toi. Je suis en train de mourir à cause des cigarettes. Veux-tu aussi mourir à cause des cigarettes ?

Il me dit :

– Mourir d'une chose ou d'une autre... De toute façon, tous les savants le disent...

– Ils disent quoi, les savants ?

– Que la terre est foutue. Et qu'il n'y a rien à y faire. C'est trop tard.

– Où as-tu entendu parler de ça ?

– Partout. A l'école, et surtout à la télévision.

Je jette ma cigarette :

– Tu n'auras tout de même pas de cigarette.

Il me dit :

– Vous êtes méchant.

Je dis :

– Oui, je suis méchant. Et après ? Il y a un hôtel quelque part dans cette ville ?

– Bien sûr. Il y en a plusieurs. Vous ne le savez pas ? Pourtant vous avez l'air de bien connaître la ville.

Je dis :

– Quand j'habitais ici, il n'y avait pas d'hôtel. Aucun.

Il dit :

– Ça doit être il y a très longtemps, alors. Place Principale, il y a un hôtel tout neuf. Il s'appelle le Grand Hôtel, parce que c'est le plus grand.

– Allons-y.

Devant l'hôtel, l'enfant pose ma valise :

– Je ne peux pas entrer, monsieur. La femme de la réception, elle me connaît. Elle dira à ma mère.

– Quoi ? Que tu as porté ma valise ?

– Oui. Ma mère, elle ne veut pas que je porte des valises.

– Pourquoi ?

– Je ne sais pas. Elle ne veut pas que je fasse ça. Elle veut que je fasse seulement des études.

Je demande :

– Tes parents ? Que font-ils ?

Il dit :

– Je n'ai pas de parents. Seulement une mère. Pas de père. J'en ai jamais eu.

– Et elle fait quoi, ta mère ?

– Justement, elle travaille ici, à l'hôtel. Elle lave les carrelages deux fois par jour. Mais elle aimerait que moi, je devienne un savant.

– Un savant de quoi ?

– Ça, elle ne peut pas savoir, parce qu'elle ne connaît pas les métiers de savants. Elle pense professeur, ou médecin, je crois.

Je dis :

– Bon. Combien tu demandes pour la valise ?

Il dit :

– C'est comme vous voulez, monsieur.

Je lui donne deux pièces de monnaie :

– Ça va comme cela ?

– Oui, monsieur.

– Non, monsieur. Cela ne va pas du tout. Tu n'as tout de même pas porté cette lourde valise depuis la gare pour si peu d'argent !

Il dit :

– Je prends ce qu'on me donne, monsieur. Je n'ai pas le droit d'exiger plus. Et puis, il y a des pauvres gens. Il m'arrive de porter des valises gratuitement. J'aime faire ce travail. J'aime attendre à la gare. J'aime voir les gens qui arrivent. Les gens d'ici, je les connais tous, de vue. J'aime voir arriver des gens d'ailleurs. Comme vous. Vous venez de loin, n'est-ce pas ?

– Oui, de très loin. D'un autre pays.

Je lui donne un billet et j'entre dans l'hôtel.

Je choisis une chambre d'angle, de là je vois toute la place, l'église, l'épicerie, les boutiques, la librairie.

Il est neuf heures du soir, la place est vide. Des lumières sont allumées dans les maisons. On descend les stores, on ferme les volets, on tire les rideaux, la place se ferme.

Je m'installe devant une des fenêtres de ma chambre, je regarde la place, les maisons, tard dans la nuit.

Dans mon enfance j'ai souvent rêvé d'habiter une des maisons de la place Principale, n'importe laquelle, mais surtout la maison bleue où il y avait, où il y a toujours une librairie.

Mais je n'ai habité dans cette ville que la petite maison délabrée de « Grand-Mère », loin du centre, aux confins de la ville, près de la frontière.

Chez Grand-Mère je travaillais du matin au soir, comme elle. Elle me nourrissait et me logeait, mais elle ne me donnait jamais d'argent. Pourtant, de l'argent, j'en avais besoin pour acheter du savon, du dentifrice, des vêtements et des chaussures. Alors, le soir, je venais en ville, je jouais de l'harmonica dans les bistrots. Je vendais du bois que je ramassais dans la forêt, des champignons, des châtaignes. Je vendais aussi des œufs que je volais à Grand-Mère, et du poisson que j'avais très vite appris à pêcher. Je rendais aussi toutes sortes de services à n'importe qui. Je portais des messages, des lettres et des colis, les gens avaient confiance en moi parce qu'ils me croyaient sourd-muet.

Au début, je ne parlais pas, même pas à Grand-Mère, mais bientôt il m'a bien fallu prononcer des chiffres pour marchander.

Je traînais souvent le soir place Principale. Je regardais la vitrine de la librairie-papeterie, les feuilles blanches, les cahiers d'écolier, les gommes, les crayons. Tout cela était trop cher pour moi.

Pour gagner un peu plus d'argent, chaque fois que je le pouvais, j'allais à la gare y attendre les voyageurs. Je portais leurs valises.

Ainsi j'ai pu acheter des feuilles de papier, un crayon,

une gomme, et un grand cahier dans lequel je notais mes premiers mensonges.

Quelques mois après la mort de Grand-Mère, des gens sont entrés dans ma maison sans frapper. Ils étaient trois dont un homme en uniforme de garde-frontière. Les deux autres étaient en civil. L'un d'eux ne disait rien, il notait seulement. Il était jeune, presque aussi jeune que moi. L'autre avait des cheveux blancs. C'est lui qui me questionnait.

– Vous habitez ici depuis quand ?

Je dis :

– Je ne sais pas. Depuis le bombardement de l'hôpital.

– Quel hôpital ?

– Je ne sais pas. Le Centre.

L'homme en uniforme intervient :

– Quand j'ai pris le commandement de cette section, il était déjà là.

Le civil demande :

– A quand cela remonte-t-il ?

– Trois ans. Mais lui, il était déjà là avant.

– Comment le savez-vous ?

– Ça se voit. Il travaillait autour de la maison comme quelqu'un qui a toujours été là.

L'homme aux cheveux blancs se tourne vers moi :

– Avez-vous un lien de parenté avec Mme V. née Maria Z. ?

Je dis :

– C'était ma grand-mère.

Il me demande :

– Avez-vous des papiers justifiant cette parenté ?

Je dis :

– Non, je n'ai aucun papier. Je n'ai que des feuilles de papier que j'achète à la librairie.

Il dit :

– Ça va comme cela. Notez !

Le jeune homme en civil se met à écrire :

– Mme Maria V. née Maria Z. est décédée sans héritier, donc tous ses biens, sa maison et ses terres deviendront propriété d'État, appartenant à la commune de la ville de K. qui en fera usage comme bon lui semble.

Les hommes se lèvent, je leur demande :

– Qu'est-ce que je dois faire ?

Ils se regardent. L'homme en uniforme dit :

– Vous devez partir d'ici.

– Pourquoi ?

– Parce que, ici, ça ne vous appartient pas.

Je demande :

– Je dois partir quand ?

– Je ne sais pas.

Il regarde l'homme gris en civil, qui dit :

– Nous vous préviendrons assez tôt. Quel âge avez-vous ?

– Bientôt quinze ans. Je ne peux pas partir avant que les tomates soient mûres.

Il dit :

– Bien sûr, les tomates. Vous n'avez que quinze ans ? Alors, il n'y aura pas de problème.

Je demande :

– Où devrai-je partir ?

Il se tait un moment, il regarde l'homme en uniforme, l'homme en uniforme le regarde, le civil baisse les yeux :

– Ne vous inquiétez pas. On s'occupera de vous. Surtout, soyez tranquille.

Les trois hommes sortent. Je les suis en marchant sur l'herbe pour ne pas faire de bruit.

Le garde-frontière dit :

– Vous ne pouvez pas le laisser tranquille ? C'est un bon petit gars et il travaille dur.

L'homme en civil dit :

– Là n'est pas la question. Il y a la loi. Le terrain de Mme V. appartient à la commune. Il y a presque deux ans que votre petit gars vit là-dessus sans aucun droit.

– Et ça fait du mal à qui ?

– A personne. Mais, dites donc ! Qu'avez-vous à défendre ce petit vaurien ?

– Depuis trois ans je le regarde s'occuper de son jardin et de ses animaux. Ce n'est pas un vaurien, en tout cas pas plus que vous.

– Vous osez me traiter de vaurien ?

– Je n'ai jamais dit ça. J'ai dit seulement qu'il ne l'est pas plus que vous. Et puis, je m'en fous. De vous, de lui. Dans trois semaines je serai démobilisé et je m'occuperai de mon jardin à moi. Vous, monsieur, vous aurez une âme sur la conscience si vous mettez cet enfant à la rue. Bonne nuit, et dormez bien.

Le civil dit :

– Nous ne le mettrons pas à la rue. Nous nous occuperons de lui.

Ils s'en vont. Quelques jours plus tard, ils reviennent. Le même homme aux cheveux blancs, le jeune homme, et il y a une femme avec eux. Une femme âgée avec des lunettes qui ressemble à la directrice du Centre.

Elle me dit :

– Écoute-moi bien. Nous ne voulons pas te faire de mal, nous voulons nous occuper de toi. Tu viendras avec nous dans une belle maison où il y a des enfants comme toi.

Je lui dis :

– Je ne suis plus un enfant. Je n'ai pas besoin que l'on s'occupe de moi. Et je ne veux plus aller dans un hôpital.

Elle dit :

– Ce n'est pas un hôpital. Tu pourras y faire des études.

Nous sommes dans la cuisine. La femme parle, je ne l'écoute pas. Le monsieur aux cheveux blancs parle aussi. Je ne l'écoute pas non plus.

Seul le jeune homme qui note tout ne dit rien, il ne me regarde même pas.

En partant, la femme dit :

– Ne t'inquiète pas. Nous sommes avec toi. Tout ira mieux bientôt. Nous ne te laisserons pas seul, nous nous occuperons de toi. Nous te sauverons.

L'homme ajoute :

– On va te laisser ici encore cet été. On commencera les démolitions fin août.

J'ai peur, peur d'aller dans une maison où on s'occupera de moi, où on me sauvera. Il faut que je parte d'ici. Je me demande où je pourrais aller.

J'achète une carte du pays et un plan de la capitale. Je vais tous les jours à la gare, je consulte l'horaire. Je demande le prix des billets pour telle ou telle ville. Je ne possède que très peu d'argent et je ne veux pas me servir de l'héritage de Grand-Mère. Elle m'avait prévenu :

– Personne ne doit savoir que tu possèdes tout ça. On te questionnera, on t'enfermera, on te prendra tout. Et ne dis jamais la vérité. Fais semblant de ne pas comprendre les questions. Si on te prend pour un idiot, tant mieux.

L'héritage de Grand-Mère est enterré sous le banc

devant la maison dans un sac de toile qui contient des bijoux, des pièces d'or et d'argent. Si j'essayais de vendre tout ça, on m'accuserait de vol.

C'est à la gare que j'ai rencontré l'homme qui voulait traverser la frontière.

C'est le soir. L'homme est là, devant la gare, les mains dans les poches. Les autres voyageurs sont déjà partis. La place de la Gare est déserte.

L'homme me fait signe d'approcher, je vais vers lui. Il n'a pas de bagages.

Je dis :

– Normalement, je porte les valises des voyageurs. Mais je vois que vous n'en avez pas.

Il dit :

– Non, je n'en ai pas.

Je dis :

– Si je peux vous rendre service autrement... Je vois que vous êtes étranger dans notre ville.

– Et à quoi vois-tu que je suis un étranger ?

Je dis :

– Personne dans notre ville ne porte des habits semblables aux vôtres. Et les gens de notre ville ont tous le même visage. Un visage connu, familier. Les gens de notre ville, sans les connaître personnellement, on les reconnaît. Quand un étranger arrive, on le remarque immédiatement.

L'homme regarde autour de nous :

– Tu crois qu'on m'a déjà remarqué ?

– Certainement. Mais cela n'a pas beaucoup d'importance si vos papiers sont en règle. Vous les présenterez au poste de police demain matin, et vous pourrez rester aussi longtemps que vous voudrez. Il n'y a pas d'hôtel, mais je peux vous indiquer des maisons où l'on loue des chambres.

L'homme me dit :

– Suis-moi.

Il part vers la ville, mais au lieu de prendre la rue principale, il bifurque à droite, dans une petite rue poussiéreuse, et il s'assied entre deux buissons. Je m'assieds à côté de lui, je demande :

– Vous essayez de vous cacher ? Pourquoi ?

Il me demande :

– Connais-tu la ville ?

– Oui, parfaitement.

– La frontière ?

– Aussi.

– Tes parents ?

– Je n'en ai pas.

– Ils sont morts ?

– Je ne sais pas.

– Chez qui habites-tu ?

– Chez moi. Dans la maison de Grand-Mère. Elle est morte.

– Avec qui vis-tu ?

– Seul.

– Où est ta maison ?

– A l'autre bout de la ville. Près de la frontière.

– Peux-tu me loger une nuit ? J'ai beaucoup d'argent.

– Oui, je peux vous loger.

– Connais-tu des rues, des passages par lesquels on peut arriver à ta maison sans être vu ?

– Oui.

– Allons-y. Je te suis.

Nous marchons derrière les maisons, dans les champs. Parfois, nous devons escalader des clôtures, des barrières, traverser des jardins, des cours privées. La nuit est tombée, et l'homme derrière moi ne fait aucun bruit.

Arrivés dans la maison de Grand-Mère, je le félicite :

– Vous n'aviez aucune peine à me suivre malgré votre âge.

Il rit :

– Mon âge ? J'ai seulement quarante ans, et j'ai fait la guerre. J'ai appris à traverser les villes sans bruit.

Après un temps, il ajoute :

– Tu as raison. Je suis vieux maintenant. Ma jeunesse a été engloutie par la guerre. As-tu quelque chose à boire ?

Je mets de l'eau-de-vie sur la table, je dis :

– Vous voulez traverser la frontière, n'est-ce pas ?

Il rit encore :

– Comment l'as-tu deviné ? As-tu quelque chose à manger ?

Je dis :

– Je peux vous faire une omelette aux champignons. J'ai aussi du fromage de chèvre.

Pendant que je prépare le repas, il boit.

Nous mangeons. Je lui demande :

– Comment avez-vous pu entrer dans la zone frontière ? Il faut un permis spécial pour entrer dans notre ville.

Il dit :

– J'ai une sœur qui vit dans cette ville. J'ai demandé la permission de lui rendre visite, et je l'ai obtenue.

– Mais vous n'allez pas la voir.

– Non, je ne veux pas lui causer d'ennuis. Tiens, brûle tout ça dans ta cuisinière.

Il me tend sa carte d'identité et d'autres papiers. Je jette tout dans le feu.

Je demande :

– Pourquoi voulez-vous partir d'ici ?

– Cela ne te regarde pas. Montre-moi le chemin, c'est tout ce que je te demande. Je te laisse tout l'argent que je possède.

Il met des billets de banque sur la table.

Je dis :

– Ce n'est pas un grand sacrifice de laisser cette somme derrière vous. De toute façon, cet argent ne vaut rien de l'autre côté.

Il dit :

– Mais ici, pour un petit gars comme toi, il vaut beaucoup.

Je jette les billets dans le feu de la cuisinière :

– Vous savez, moi, je n'ai pas tellement besoin d'argent. Ici, j'ai tout ce dont j'ai besoin.

Nous regardons l'argent brûler. Je dis :

– Vous ne pouvez pas traverser la frontière sans risquer votre vie.

L'homme dit :

– Je le sais.

Je dis :

– Sachez aussi que je peux vous dénoncer immédiatement. En face de ma maison, il y a une base de gardes-frontière avec qui je collabore. Je suis un indicateur.

L'homme, très pâle, dit :

– Un indicateur, à ton âge ?

– L'âge n'a rien à y voir. J'ai dénoncé plusieurs personnes qui voulaient traverser la frontière. Tout ce qui se passe dans la forêt, je le vois et je le dénonce.

– Mais pourquoi ?

– Parce qu'on m'envoie parfois des provocateurs pour voir si je les dénonce ou pas. Jusqu'à maintenant, j'étais obligé de les dénoncer, qu'ils soient provocateurs ou non.

– Pourquoi jusqu'à maintenant ?

– Parce que, demain, je vais traverser la frontière avec vous. Moi aussi, j'ai envie de partir d'ici.

Le lendemain, peu avant midi, nous traversons la frontière.

L'homme marche devant, il n'a pas de chance. Près de la deuxième barrière, une mine saute et l'homme avec. Moi, je marche derrière lui, je ne risque rien.

Je regarde la place vide jusque tard dans la nuit. Quand, enfin, je me couche, je fais un rêve.

Je descends à la rivière, mon frère est là, assis sur la berge, il pêche à la ligne. Je m'assieds à côté de lui :

– Tu en prends beaucoup ?

– Non. Je t'attendais.

Il se lève, il range sa canne :

– Il y a longtemps qu'il n'y a plus de poissons ici. Il n'y a même plus d'eau.

Il prend une pierre, il la lance sur les autres pierres de la rivière asséchée.

Nous marchons vers la ville. Je m'arrête devant une maison aux volets verts. Mon frère dit :

– Oui, c'était notre maison. Tu l'as reconnue.

Je dis :

– Je l'ai reconnue. Mais elle n'était pas ici, avant. Elle était dans une autre ville.

Mon frère corrige :

– Dans une autre vie. Et maintenant elle est là, et elle est vide.

Nous arrivons place Principale.

Devant la porte de la librairie, deux petits garçons sont assis sur l'escalier qui mène à l'appartement.

Mon frère dit :

– Ce sont mes fils. Leur mère est partie.

Nous entrons dans la grande cuisine. Mon frère prépare le repas du soir. Les enfants mangent en silence, sans lever les yeux.

Je dis :

– Ils sont heureux, tes fils.

– Très heureux. Je vais les coucher.

Quand il revient, il dit :

– Allons dans ma chambre.

Nous entrons dans la grande pièce, mon frère prend une bouteille cachée derrière les livres de la bibliothèque :

– C'est tout ce qui reste. Les tonneaux sont vides.

Nous buvons. Mon frère caresse la peluche rouge de la table :

– Tu vois, rien n'a changé. J'ai tout gardé. Même cette nappe affreuse. Demain, tu peux aller habiter la maison.

Je dis :

– Je n'en ai pas envie. Je jouerai plutôt avec tes enfants.

Mon frère dit :

– Mes enfants ne jouent pas.

– Que font-ils ?

– Ils se préparent à traverser la vie.

Je dis :

– J'ai traversé la vie et je n'ai rien trouvé.

Mon frère dit :

– Il n'y a rien à trouver. Que cherchais-tu ?

– Toi. C'est pour toi que je suis revenu.

Mon frère rit :

– Pour moi ? Tu le sais bien, je ne suis qu'un rêve. Il faut accepter cela. Il n'y a rien, nulle part.

J'ai froid, je me lève :

– Il est tard, je dois rentrer.

– Rentrer ? Où ?

– A l'hôtel.

– Quel hôtel ? Tu es ici chez toi. Je vais te présenter à nos parents.

– A nos parents ? Où sont-ils ?

Mon frère désigne la porte brune qui mène dans l'autre pièce de l'appartement.

– Ils sont là. Ils dorment.

– Ensemble ?

– Comme toujours.

Je dis :

– Il ne faut pas les réveiller.

Mon frère dit :

– Pourquoi pas ? Ils seront heureux de te revoir après tant d'années.

Je recule vers la porte :

– Moi, je ne veux pas, je ne peux pas les revoir.

Mon frère m'attrape par le bras :

– Tu ne veux pas, tu ne peux pas. Moi, je les vois tous les jours. Tu dois les voir au moins une fois, une seule fois !

Mon frère me tire vers la porte brune ; de ma main libre, j'attrape sur la table un cendrier en verre très lourd et j'en frappe mon frère sur la nuque.

Son front cogne contre la porte, mon frère tombe, il y a du sang autour de sa tête, sur le parquet.

Je sors de la maison, je m'assieds sur un banc. Une lune énorme éclaire la place vide.

Un vieillard s'arrête devant moi, il me demande une cigarette. Je lui en offre une et du feu.

Il reste là, debout devant moi, fumant sa cigarette.

Après quelques instants, il demande :

– Alors, tu l'as tué ?

Je dis :

– Oui.

Le vieillard dit :

– Tu as fait ce que tu devais faire. C'est bien. Peu de gens font ce qu'il faut faire.

Je dis :

– C'est parce qu'il a voulu ouvrir la porte.

– Tu as bien fait. Tu as bien fait de l'en empêcher. Il fallait que tu le tues. Comme cela tout rentre dans l'ordre, dans l'ordre des choses.

Je dis :

– Mais il ne sera plus là. Peu m'importe l'ordre, si lui ne doit plus jamais être là.

Le vieillard dit :

– Au contraire. Désormais, il sera à tes côtés à chaque instant et en tous lieux.

Le vieillard s'éloigne, il sonne à la porte d'une petite maison, il y entre.

Quand je me réveille, la place vit déjà depuis longtemps. Les gens y circulent à pied ou à vélo. Il n'y a que très peu de voitures. Les boutiques sont ouvertes, la librairie aussi. Dans les couloirs de l'hôtel, on passe l'aspirateur.

J'ouvre ma porte, j'appelle la femme de ménage :

– Pouvez-vous m'apporter un café ?

Elle se retourne, c'est une femme jeune aux cheveux très noirs.

– Je ne peux pas servir les clients, monsieur, je ne suis qu'une femme de ménage. Nous ne faisons pas le service dans les chambres. Il y a un restaurant et un bar.

Je retourne dans ma chambre, je me lave les dents, je me douche, puis je me recouche sous mes couvertures. J'ai froid.

On frappe à la porte, la femme de ménage entre, elle pose un plateau sur la table de nuit :

– Vous paierez le café au bar quand vous voudrez.

Elle se couche à côté de moi, sur le lit, elle m'offre ses lèvres. Je détourne la tête :

– Non, ma belle. Je suis vieux et malade.

Elle se lève, elle dit :

– J'ai très peu d'argent. Le travail que je fais est très mal payé. J'aimerais offrir un vélo de cross à mon fils pour son anniversaire. Et je n'ai pas de mari.

– Je comprends.

Je lui donne un billet, sans savoir si c'est peu ou trop, je ne suis pas encore habitué aux prix pratiqués ici.

Vers trois heures de l'après-midi, je sors.

Je marche lentement. Après une demi-heure, j'arrive tout de même au bout de la ville. Là, à la place de la maison de Grand-Mère, il y a un terrain de sport très bien entretenu. Des enfants y jouent.

Je reste longtemps assis au bord de la rivière, puis je retourne en ville. Je passe par la vieille ville, par les ruelles du château, je monte au cimetière, mais je ne retrouve pas la tombe de Grand-Mère.

Tous les jours, je me promène ainsi, pendant des heures, dans toutes les rues de la ville. Surtout dans les rues étroites où les maisons sont enfoncées dans la terre, avec leurs fenêtres au ras du sol. Je m'assieds parfois dans un parc, ou sur les murets du château, ou sur une tombe au cimetière. Quand j'ai faim, je vais dans un petit bistrot, je mange ce qu'il y a à manger. Ensuite, je bois des verres avec des ouvriers, des gens simples.

Personne ne me reconnaît, personne ne se souvient de moi.

Un jour, j'entre dans la librairie pour acheter du papier et des crayons. Le gros monsieur de mon enfance n'est plus là, c'est une femme qui s'en occupe maintenant. Elle est assise dans un fauteuil près de la porte-fenêtre qui donne sur le jardin, elle tricote. Elle me sourit :

– Je vous connais de vue. Je vous vois entrer et sortir de l'hôtel tous les jours. Sauf quand vous rentrez trop tard et que je dors déjà. J'habite au-dessus de la librairie et j'aime regarder la place le soir.

Je dis :

– Moi aussi.

Elle demande :

– Vous êtes en vacances ici ? Pour longtemps ?

– Oui, en vacances. En quelque sorte. J'aimerais rester le plus longtemps possible. Cela dépend de mon visa, et aussi de mon argent.

– Votre visa ? Vous êtes étranger ? On ne dirait pas.

– J'ai passé mon enfance dans cette ville. Je suis né dans ce pays. Mais je vis à l'étranger depuis longtemps.

Elle dit :

– Il y a beaucoup d'étrangers qui viennent, maintenant que le pays est devenu libre. Ceux qui sont partis après la révolution reviennent en visite, mais il y a surtout beaucoup de curieux, des touristes. Vous verrez, avec le beau temps ils vont arriver par autocars entiers. C'en sera fini de notre tranquillité.

En effet, l'hôtel se remplit de plus en plus. Le samedi on organise des soirées dansantes. Elles durent parfois jusqu'à quatre heures du matin. Je ne supporte ni la musique ni les cris et les rires de ceux qui s'amusent. Je reste donc dans la rue, je m'assieds sur un banc avec une bouteille de vin achetée plus tôt dans la journée, et j'attends.

Un soir, un petit garçon s'assied à côté de moi :

– Je peux rester avec vous, monsieur ? J'ai un peu peur dans la nuit.

Je reconnais sa voix. C'est l'enfant qui a porté ma valise à mon arrivée. Je lui demande :

– Que fais-tu ici si tard ?

Il dit :

– J'attends ma mère. Quand il y a des soirées, elle doit rester tard pour aider à servir et à faire la vaisselle.

– Et alors ? Tu n'as qu'à rester à la maison et dormir tranquillement.

– Je ne peux pas dormir tranquillement. J'ai peur qu'il arrive quelque chose à ma mère. Nous habitons loin d'ici, je ne peux pas la laisser marcher seule dans la nuit. Il y a des hommes qui attaquent les femmes qui marchent seules dans la nuit. J'ai vu ça à la télévision.

– Et les enfants, on ne les attaque pas ?

– Non, pas tellement. Les femmes seulement. Surtout si elles sont jolies. Moi, je pourrais me défendre. Je cours très vite.

Nous attendons. Lentement, le silence se fait à l'intérieur de l'hôtel. Une femme en sort, c'est celle qui m'apporte le café tous les matins. Le petit garçon court vers elle, ils s'en vont ensemble, en se tenant par la main.

D'autres membres du personnel sortent de l'hôtel, ils s'éloignent rapidement.

Je monte dans ma chambre.

Le lendemain, je vais voir la libraire :

– Il m'est impossible de rester à l'hôtel plus longtemps. Il y a trop de monde, il y a trop de bruit. Connaîtriez-vous quelqu'un qui me louerait une chambre ?

Elle dit :

– Venez habiter chez moi. Ici, en haut.

– Je vous dérangerais.

– Mais non. Je logerai chez ma fille. Elle habite non loin d'ici. Vous aurez tout l'étage. Deux chambres, la cuisine, la salle de bains.

– Pour combien ?

– Combien payez-vous à l'hôtel ?

Je le lui dis. Elle sourit :

– Ce sont des prix pour touristes. Je vous logerai pour la moitié de cette somme. Je vous ferai même le ménage après la fermeture du magasin. Pendant ces heures-là, vous êtes toujours dehors, je ne vous dérangerai pas. Voulez-vous voir l'appartement ?

– Non, je suis certain qu'il me conviendra. Quand pourrai-je emménager ?

– Dès demain, si vous voulez. Je n'ai qu'à emporter mes vêtements et mes effets personnels.

Le lendemain, je fais ma valise, je règle ma note à l'hôtel. J'arrive à la librairie juste avant la fermeture. La libraire me tend une clé :

– C'est la clé de la porte d'entrée. On peut monter à l'appartement directement du magasin, mais vous utiliserez l'autre porte, celle qui donne sur la rue. Je vais vous la montrer.

Elle ferme le magasin. Nous montons un escalier étroit, nous arrivons sur un palier éclairé par deux fenêtres donnant sur le jardin. La libraire m'explique :

– La porte de gauche est celle de la chambre à coucher, en face la salle de bains. La deuxième porte est celle du salon d'où vous pouvez aussi passer dans la chambre à coucher. Au fond, c'est la cuisine. Il y a un réfrigérateur. J'ai laissé quelques provisions dedans.

Je dis :

– Je n'ai besoin que de café et de vin. Je prends mes repas dans les bistrots.

Elle dit :

– Ce ne sont pas des repas sains. Le café est sur l'étagère, et il y a une bouteille de vin au frigo. Je vous laisse. J'espère que vous vous plairez ici.

Elle s'en va. J'ouvre tout de suite la bouteille de vin ; j'en ferai provision demain. J'entre au salon. C'est une grande pièce simplement meublée. Entre ses deux fenêtres, une grande table est recouverte d'une nappe de peluche rouge. J'y range tout de suite mes papiers et mes crayons. Ensuite, je vais dans la chambre à coucher. C'est une pièce étroite avec une seule fenêtre, ou plutôt une porte-fenêtre qui donne sur un petit balcon.

Je pose ma valise sur le lit, je range mes vêtements dans l'armoire vide.

Ce soir-là, je ne sors pas. Je finis la bouteille de vin en m'installant devant une des fenêtres du salon dans un vieux fauteuil. Je regarde la place, puis je vais me coucher dans un lit qui sent le savon.

Le lendemain, quand je me lève, vers dix heures, je trouve deux journaux sur la table de la cuisine et une casserole de potage aux légumes sur la cuisinière. Je me prépare d'abord du café que je bois en lisant les journaux. Le potage, je le mange plus tard, avant de sortir, vers quatre heures de l'après-midi.

La libraire ne me dérange pas. Je la vois seulement quand je vais lui rendre visite, en bas. Pendant mon absence, elle nettoie l'appartement, elle emporte aussi mon linge sale et le rapporte propre et repassé.

Le temps passe vite. Je dois me rendre dans la ville voisine, chef-lieu du canton, pour faire renouveler mon visa. C'est une jeune femme qui pose le tampon sur mon passeport : « RENOUVELÉ POUR UN MOIS ». Je paie, je la remercie. Elle me sourit :

– Ce soir, je serai au bar du Grand Hôtel. On s'y amuse bien. Il y a beaucoup d'étrangers, vous pourriez y rencontrer des compatriotes.

Je dis :

– Oui, je viendrai peut-être.

Je prends le train rouge immédiatement pour rentrer chez moi, dans ma ville.

Le mois suivant, la jeune femme est moins aimable, elle tamponne mon passeport sans rien dire, et la troisième fois elle m'avertit sèchement qu'une quatrième prolongation sera impossible.

Vers la fin de l'été, je n'ai presque plus d'argent, je suis obligé d'économiser. Je m'achète un harmonica et je vais jouer dans les bistrots comme dans mon enfance. Les clients m'offrent à boire. Quant aux repas, je me contente de la soupe aux légumes de la libraire. En septembre et en octobre, je ne peux même plus payer mon loyer. La libraire ne me le réclame pas, elle continue à nettoyer, à laver mon linge, à apporter la soupe.

Je ne sais pas comment je vais faire, mais je ne veux pas retourner dans l'autre pays, je dois rester ici, je dois mourir ici, dans cette ville.

Mes douleurs ne sont pas réapparues depuis mon arrivée, malgré ma consommation exagérée d'alcool et de tabac.

Le 30 octobre, je fête mon anniversaire dans l'un des bistrots les plus populaires de la ville avec mes compagnons de beuverie. Tous, ils me paient à boire. Des couples dansent au son de mon harmonica. Des femmes m'embrassent. Je suis ivre. Je commence à parler de mon frère, comme chaque fois que j'ai trop bu. Tout le monde dans la ville connaît mon histoire : je suis à la recherche de mon frère avec qui j'ai vécu ici, dans cette ville, jusqu'à l'âge de quinze ans. C'est ici que je dois le retrouver, je l'attends, je sais qu'il viendra quand il saura que je suis revenu de l'étranger.

Tout cela n'est qu'un mensonge. Je sais très bien que dans cette ville, chez Grand-Mère, j'étais déjà seul, que même à cette époque j'imaginais seulement que nous étions deux, mon frère et moi, pour supporter l'insupportable solitude.

La salle du bistrot se calme un peu vers minuit. Je ne joue plus, je bois seulement.

Un homme vieux, loqueteux, s'assied en face de moi. Il boit dans mon verre. Il dit :

– Je me souviens très bien de vous deux. De ton frère et de toi.

Je ne dis rien. Un autre homme, plus jeune, apporte

un litre de vin à ma table. Je demande un verre propre. Nous buvons.

L'homme, le plus jeune, me demande :

– Qu'est-ce que tu me donnes si je retrouve ton frère ?

Je lui dis :

– Je n'ai plus d'argent.

Il rit :

– Mais tu peux faire venir de l'argent de l'étranger. Tous les étrangers sont riches.

– Pas moi. Je ne peux même pas te payer un verre.

Il dit :

– Ça ne fait rien. Encore un litre, à mon compte.

La serveuse apporte le vin, elle dit :

– C'est le dernier. Je ne vous sers plus. Si on ne ferme pas, on aura des ennuis avec la police.

Le vieillard continue à boire à côté de nous, en disant de temps en temps :

– Oui, je vous ai bien connus, vous deux, vous étiez des sacrés gaillards, déjà à cette époque. Oui, oui.

L'homme le plus jeune me dit :

– Je sais que ton frère se cache dans la forêt. Je l'ai vu parfois de loin. Il vit comme un animal sauvage. Il s'est fait des habits avec des couvertures militaires, et il marche nu-pieds même en hiver. Il se nourrit d'herbes, de racines, de châtaignes et de petits animaux. Il a les cheveux longs et gris, sa barbe est grise aussi. Il possède un couteau et des allumettes, il fume des cigarettes qu'il roule lui-même, ce qui prouve qu'il entre en ville parfois, la nuit. Peut-être que les filles qui habitent au-delà du cimetière et qui vivent de leur corps le connaissent. L'une d'entre elles, au moins. Peut-être le reçoit-elle en secret, et lui donne ce dont il a besoin.

On pourrait organiser une battue. Si on s'y met tous, on pourrait le coincer.

Je me lève, je le frappe :

– Menteur ! Ce n'est pas mon frère. Et si tu veux coincer quelqu'un, ne compte pas sur moi.

Je le frappe encore, il tombe de sa chaise. Je renverse la table, je continue à hurler :

– Ce n'est pas mon frère !

La serveuse crie dans la rue :

– Police ! Police !

Quelqu'un a dû téléphoner, car la police arrive très vite. Deux policiers. A pied. Le silence se fait dans la taverne. L'un des policiers demande :

– Qu'est-ce qui se passe ? Ça devrait être fermé depuis longtemps.

L'homme que j'ai frappé gémit :

– Il m'a frappé.

Plusieurs personnes me montrent du doigt :

– C'est lui.

Le policier relève l'homme :

– Arrête de te plaindre. Tu n'as rien du tout. Tu es bourré comme d'habitude. Tu ferais mieux de rentrer. Vous tous, vous feriez mieux de rentrer.

Il se tourne vers moi :

– Vous, je ne vous connais pas. Montrez-moi vos papiers.

J'essaie de m'enfuir, mais ceux qui m'entourent me retiennent. Le policier fouille dans mes poches, il trouve mon passeport. Il l'examine longuement, il dit à son collègue :

– Son visa est périmé. Depuis plusieurs mois. On est obligé de l'emmener.

Je me débats, mais ils me passent les menottes et ils me font sortir dans la rue. Je titube, j'ai de la peine à marcher, alors ils me portent presque jusqu'au poste de police. Là, ils m'enlèvent les menottes, ils me couchent sur un lit et s'en vont en refermant la porte derrière eux.

Le lendemain matin, un officier de police m'interroge. Il est jeune, ses cheveux sont roux et son visage est couvert de taches de rousseur.

Il me dit :

– Vous n'avez plus le droit de séjourner dans notre pays. Vous devez partir.

Je dis :

– Je n'ai pas d'argent pour le train. Je n'ai plus d'argent du tout.

– Je vais avertir votre ambassade. Ils vous rapatrieront.

Je dis :

– Je ne veux pas partir d'ici. Je dois retrouver mon frère.

L'officier hausse les épaules :

– Vous pouvez revenir quand vous voudrez. Vous pouvez même vous établir ici définitivement, mais il y a des règles pour cela. On vous les expliquera à votre ambassade. Quant à votre frère, je vais entreprendre des recherches à son sujet. Avez-vous des renseignements sur lui qui pourraient nous aider ?

– Oui, j'ai un manuscrit écrit de sa propre main. Il se trouve sur la table du salon de mon appartement, au-dessus de la librairie.

– Et comment êtes-vous entré en possession de ce manuscrit ?

– Quelqu'un l'a déposé à mon nom à la réception de l'hôtel.

Il dit :

– Curieux, très curieux.

Un matin de novembre, je suis convoqué dans le bureau de l'officier. Il me dit de m'asseoir, il me tend mon manuscrit :

– Tenez, je vous le rends. Ce n'est qu'une œuvre de fiction, et votre frère n'a rien à voir là-dedans.

Nous nous taisons. La fenêtre est ouverte. Il pleut, il fait froid. Finalement, l'officier parle :

– Même en ce qui vous concerne, nous n'avons rien trouvé dans les archives de la ville.

Je dis :

– Évidemment. Grand-Mère ne m'a jamais déclaré. Et je ne suis jamais allé à l'école. Mais je sais que je suis né dans la capitale.

– Les archives de la capitale ont été totalement détruites par les bombardements. On vient vous chercher à quatorze heures.

Il a ajouté cela très vite.

Je cache mes mains sous la table car elles tremblent.

– A quatorze heures ? Aujourd'hui ?

– Oui, je regrette. C'est si brusque. Je vous le répète, vous pouvez revenir quand vous voulez. Vous pouvez revenir définitivement. De nombreux émigrés le font. Notre pays appartient au monde libre à présent. Vous n'aurez bientôt plus besoin de visa.

Je lui dis :

– Pour moi, ce sera trop tard. Je suis atteint d'une maladie de cœur. Si je suis revenu, c'est parce que je voulais mourir ici. Quant à mon frère, il n'a peut-être jamais existé.

L'officier dit :

– Oui, c'est cela. Si vous continuez à raconter des histoires au sujet de votre frère, on va croire que vous êtes fou.

– C'est ce que vous pensez aussi ?

Il secoue la tête :

– Non, je pense seulement que vous confondez la réalité avec la littérature. Votre littérature. Je pense aussi que vous devez retourner dans votre pays, réfléchir un peu et revenir ensuite. Définitivement, peut-être. C'est ce que je souhaite pour vous, et pour moi.

– A cause de nos parties d'échecs ?

– Non, pas seulement.

Il se lève, il me tend la main :

– Je ne serai pas là quand vous partirez. Je vous dis au revoir maintenant. Retournez dans votre cellule.

Je retourne dans ma cellule. Mon gardien me dit :

– Il paraît que vous partez aujourd'hui.

– Oui, il paraît.

Je me couche sur mon lit, j'attends. A midi, la libraire arrive avec son potage. Je lui dis que je dois partir. Elle pleure. Elle sort un pull-over de son sac et me dit :

– Je vous ai tricoté ce pull-over. Mettez-le. Il fait froid.

Je met le pull-over, je dis :

– Merci. Je vous dois encore deux mois de loyer. J'espère que l'ambassade vous les paiera.

Elle dit :

– Mais quelle importance ! Vous reviendrez, n'est-ce pas ?

– J'essaierai.

Elle s'en va, en larmes. Elle doit ouvrir son magasin.

Nous sommes assis dans la cellule, mon gardien et moi. Il dit :

– Ça me fait tout drôle de penser que vous ne serez plus là demain. Mais vous reviendrez, sûrement. En attendant, j'efface votre ardoise.

Je dis :

– Non, surtout pas. N'effacez rien. Je vous paierai mes dettes dès que les gens de l'ambassade arriveront.

Il dit :

– Non, non, ce n'était que pour s'amuser. Et j'ai souvent triché.

– Ah, c'est pour ça que vous gagniez tout le temps !

– Ne m'en veuillez pas, je ne peux pas m'empêcher de tricher.

Il renifle, il se mouche :

– Vous savez, si j'ai un fils, je lui donnerai votre prénom.

Je lui dis :

– Donnez-lui plutôt le prénom de mon frère, Lucas. Cela me ferait encore plus plaisir.

Il réfléchit :

– Lucas ? Oui, c'est un joli prénom. J'en parlerai à ma femme. Peut-être qu'elle n'aura rien contre. De toute façon, elle n'a rien à dire. C'est moi qui commande à la maison.

– J'en suis convaincu.

Un policier vient me chercher dans ma cellule. Nous sortons dans la cour, mon gardien et moi. Il y a là un homme bien habillé avec chapeau, cravate, parapluie. Les pavés de la cour luisent sous la pluie.

L'homme de l'ambassade dit :

– Une voiture nous attend. J'ai déjà réglé vos dettes.

Il parle dans une langue que je ne devrais pas connaître, mais que je comprends pourtant. Je désigne mon gardien :

– Je dois à cet homme une certaine somme. Ce sont des dettes d'honneur.

Il demande :

– Combien ?

Il paie, il me prend par le bras, il me conduit à une

grande voiture noire stationnée devant la maison. Un chauffeur à casquette ouvre les portières.

La voiture démarre. Je demande à l'homme de l'ambassade si nous pourrions nous arrêter un instant devant la librairie, place Principale, mais il me regarde sans comprendre, et je me rends compte que je lui ai parlé dans ma langue ancienne, dans la langue de ce pays.

Le chauffeur conduit vite, nous dépassons la place, nous roulons déjà rue de la Gare, et ma petite ville est bientôt derrière nous.

Il fait chaud dans la voiture. Par la fenêtre, je regarde défiler les villages, les champs, les peupliers et les acacias, le paysage de mon pays battu par la pluie et le vent.

Brusquement, je me tourne vers l'homme de l'ambassade :

– Ce n'est pas la route de la frontière. Nous allons dans le sens opposé.

Il dit :

– Nous vous conduisons d'abord à l'ambassade, dans la capitale. Vous traverserez la frontière dans quelques jours, par le train.

Je ferme les yeux.

L'enfant traverse la frontière.

L'homme passe devant, l'enfant attend. Une explosion. L'enfant s'approche. L'homme est couché près de la deuxième barrière. Alors, l'enfant s'élance. Marchant dans les traces de pas, puis sur le corps inerte de l'homme, il arrive de l'autre côté, il se cache derrière les buissons.

Une équipe de gardes-frontière arrive dans une voiture tout terrain. Il y a un sergent et plusieurs soldats. L'un d'eux dit :

– Pauvre con !

Un autre :

– C'est la faute à pas de chance. Il y était presque.

Le sergent crie :

– Arrêtez de rigoler. Il faut ramener le corps.

Les soldats disent :

– Pour ce qu'il en reste.

– Pour quoi faire ?

Le sergent dit :

– Pour l'identification. Ce sont les ordres. Il faut ramener les corps. Des volontaires ?

Les soldats se regardent :

– Les mines. On peut y rester.

– Et alors ? C'est votre devoir. Bande de lâches !

Un soldat lève la main :

– Moi.

– Bravo. Vas-y, mon gars. Reculez-vous, vous autres.

Le soldat marche lentement jusqu'au corps déchiqueté, puis se met à courir. Il passe à côté de l'enfant sans le voir.

Le sergent hurle :

– Le salopard ! Tirez ! Feu !

Les soldats ne tirent pas.

– Il est de l'autre côté. On ne peut pas tirer de l'autre côté.

Le sergent lève son fusil. Deux gardes-frontière étrangers apparaissent en face. Le sergent baisse son arme, il la tend à un soldat. Il marche jusqu'au cadavre, il le prend sur son dos, revient et jette le corps par terre. Il essuie son visage aux manches de son uniforme :

– Vous me paierez ça, fils de putes, vous n'êtes qu'un tas de merde.

Les soldats roulent le cadavre dans une bâche, le mettent à l'arrière de la voiture. Ils s'en vont. Les deux gardes-frontière étrangers s'éloignent aussi.

L'enfant reste couché sans bouger, il s'endort. Tôt le matin les oiseaux le réveillent. Il serre contre lui son manteau, ses bottes en caoutchouc, il marche vers le village. Il rencontre deux gardes-frontière qui lui demandent :

– Et toi ? D'où viens-tu ?

– De l'autre côté de la frontière.

– Tu l'as traversée ? Quand ?

– Hier. Avec mon père. Mais lui, il est tombé, il est resté couché après l'explosion, et les gardes de là-bas sont venus le prendre.

– Oui, nous y étions. Mais nous ne t'avons pas vu. Le soldat qui a déserté ne t'a pas vu non plus.

– Je me suis caché. J'avais peur.

– Comment se fait-il que tu parles notre langue ?

– Je l'ai apprise avec des militaires pendant la guerre. Vous croyez qu'ils vont le soigner, mon père ?

Les gardes baissent les yeux :

– Certainement. Viens avec nous. Tu dois avoir faim.

Les gardes accompagnent l'enfant jusqu'au village, ils le confient à la femme de l'un d'eux.

– Donne-lui à manger, ensuite emmène-le au poste de police. Dis-leur qu'on passera à onze heures pour le rapport.

La femme est grosse et blonde, son visage est rouge et souriant.

Elle demande à l'enfant :

– Tu aimes le lait et le fromage ? Le repas n'est pas encore prêt.

– Oui, madame, j'aime tout. Je mange n'importe quoi.

La femme le sert :

– Non, attends. Va te laver d'abord. Au moins le visage et les mains. Je laverais bien tes habits, mais tu n'as pas de quoi te changer, je suppose.

– Non, madame.

– Je vais te prêter une chemise de mon mari. Elle te sera trop grande, mais ça ne fait rien. Tu n'as qu'à retrousser les manches. Tiens, un linge. La salle de bains est là.

L'enfant prend avec lui son manteau et ses bottes dans la salle de bains. Il se lave, il revient à la cuisine, il mange du pain et du fromage, il boit du lait. Il dit :

– Merci, madame.

Elle dit :

– Tu es poli et bien élevé. Et tu parles très bien notre langue. Ta mère est restée de l'autre côté ?

– Non, elle est morte pendant la guerre.

– Pauvre petit. Viens, on doit aller au commissariat. N'aie pas peur, le policier est gentil, c'est un ami de mon mari.

Au poste, elle dit au policier :

– Voilà le fils de l'homme qui a essayé de traverser hier. Mon mari passera à onze heures. Je garderais volontiers ce petit gars en attendant la décision. Peut-être faut-il le renvoyer, il est mineur.

Le policier dit :

– On verra. En tout cas, je vous le rends pour le repas de midi.

La femme s'en va et le policier tend un questionnaire à l'enfant :

– Remplis-le. Si tu ne comprends pas la question, tu me demandes.

Quand l'enfant rend le questionnaire, le policier le relit à haute voix :

– Nom et prénom : Claus T. Age : dix-huit ans. Tu n'es pas très grand pour ton âge.

– C'est à cause d'une maladie d'enfance.

– As-tu une carte d'identité ?

– Non, rien. Mon père et moi, nous avons brûlé tous nos papiers avant de partir.

– Pourquoi ?

– Je ne sais pas. A cause de l'identification. C'est mon père qui a dit de le faire.

– Ton père a sauté sur une mine. Si tu marchais à côté de lui, tu aurais sauté, toi aussi.

– Je ne marchais pas à côté de lui. Il m'a dit d'attendre qu'il soit de l'autre côté, et le suivre de loin.

– Pourquoi avez-vous traversé ?

– C'est mon père qui le voulait. On le mettait tout le temps en prison, on le surveillait. Il ne voulait plus vivre là-bas. Et il m'a pris avec lui parce qu'il ne voulait pas me laisser seul.

– Ta mère ?

– Elle est morte pendant la guerre dans un bombardement. Après, j'ai vécu avec ma grand-mère, mais elle est morte aussi.

– Alors, tu n'as plus personne là-bas. Personne qui puisse te réclamer. Sauf les autorités, si tu as commis un crime.

– Je n'ai commis aucun crime.

– Bon, il n'y a qu'à attendre une décision de mes supérieurs. Pour le moment, il t'est interdit de quitter le village. Voilà. Signe ce papier ici.

L'enfant signe le procès-verbal dans lequel se trouvent trois mensonges.

L'homme avec qui il a traversé la frontière n'était pas son père.

L'enfant n'a pas dix-huit ans, mais quinze.

Il ne s'appelle pas Claus.

Quelques semaines plus tard, un homme de la ville arrive dans la maison du garde-frontière. Il dit à l'enfant :

– Je m'appelle Peter N. C'est moi qui m'occuperai de vous désormais. Voici votre carte d'identité. Il n'y manque que votre signature.

L'enfant regarde la carte. Sa date de naissance est avancée de trois ans, il se prénomme Claus, et sa nationalité est « apatride ».

Le jour même, Peter et Claus prennent l'autocar pour la ville. Pendant le trajet, Peter pose des questions :

– Que faisiez-vous avant, Claus ? Vous étiez étudiant ?

– Étudiant ? Non. Je travaillais dans mon jardin, je m'occupais de mes animaux, je jouais de l'harmonica dans les bistrots, je portais les bagages des voyageurs.

– Et qu'aimeriez-vous faire dans l'avenir ?

– Je ne sais pas. Rien. Pourquoi faut-il absolument faire quelque chose ?

– Il faut gagner de l'argent pour vivre.

– Ça, je le sais. Je l'ai toujours fait. Je veux bien faire n'importe quel travail pour gagner un peu d'argent.

– Un peu d'argent ? Avec n'importe quel travail ? Vous pouvez obtenir une bourse et faire des études.

– Je n'ai pas envie de faire des études.

– Vous devez pourtant en faire un peu pour apprendre correctement la langue. Vous la parlez assez bien, mais il faut aussi savoir la lire et l'écrire. Vous habiterez dans une maison de jeunesse avec d'autres étudiants. Vous aurez votre propre chambre. Vous prendrez des cours de langue et après on verra.

Peter et Claus passent une nuit dans un hôtel d'une grande ville. Le matin, ils prennent le train pour une ville plus petite, située entre un lac et une forêt. La maison de jeunesse se trouve dans une rue en pente, au milieu d'un jardin, près du centre de la ville.

Un couple, le directeur et la directrice de la maison, les accueille. Ils conduisent Claus dans sa chambre. La fenêtre donne sur le jardin.

Claus demande :

– Qui s'occupe du jardin ?

La directrice dit :

– C'est moi, mais les enfants m'aident beaucoup.

Claus dit :

– Je vous aiderai, moi aussi. Vos fleurs sont très belles.

La directrice dit :

– Merci, Claus. Ici, tu seras entièrement libre, mais tu devras rentrer le soir à onze heures au plus tard. Ta chambre, tu la nettoieras toi-même. Tu peux demander l'aspirateur à la concierge.

Le directeur dit :

– Si tu as des problèmes, tu t'adresseras à moi.

Peter dit :

– Vous serez bien ici, n'est-ce pas, Claus ?

On montre encore à Claus le réfectoire, les douches et la salle commune. On le présente aux filles et aux garçons qui s'y trouvent.

Plus tard, Peter fait visiter la ville à Claus, puis il l'emmène chez lui.

– Vous pourrez me trouver ici si vous avez besoin de moi. Voici ma femme, Clara.

Ils prennent le repas de midi ensemble, tous les trois, puis ils passent l'après-midi dans les magasins pour acheter des vêtements et des chaussures.

Claus dit :

– Je n'ai pas eu autant de vêtements pendant toute ma vie.

Peter sourit :

– Vous pouvez jeter votre vieux manteau et vos bottes. Vous recevrez une certaine somme chaque mois pour vos affaires d'école et votre argent de poche. Si vous avez besoin de quelque chose de plus, vous me le direz. Votre pension et vos cours seront payés, naturellement.

Claus demande :

– Qui me donne tout cet argent ? Est-ce vous ?

– Non, moi, je suis seulement votre tuteur. L'argent vient de l'État. Vous n'avez pas de parents, l'État doit se charger de vous jusqu'à ce que vous soyez en mesure de gagner votre vie vous-même.

Claus dit :

– J'espère que ce sera le plus tôt possible.

– Dans un an, vous déciderez si vous voulez faire des études ou bien suivre un apprentissage.

– Je n'ai pas envie de faire des études.

– On verra, on verra. N'avez-vous donc aucune ambition, Claus ?

– De l'ambition ? Je ne sais pas. Je veux seulement avoir la paix, pour écrire.

– Écrire ? Quoi ? Vous voulez devenir écrivain ?

– Oui. Il n'est pas nécessaire de faire des études pour

devenir écrivain. Il est juste nécessaire de savoir écrire sans faire trop de fautes. Je veux bien apprendre à écrire votre langue correctement, mais cela me suffit.

Peter dit :

– On ne gagne pas sa vie en écrivant.

Claus dit :

– Non, je le sais. Mais je pourrai travailler le jour et écrire tranquillement le soir. C'est ce que je faisais déjà chez Grand-Mère.

– Comment ? Vous avez déjà écrit ?

– Oui. J'ai rempli plusieurs cahiers. Ils sont emballés dans mon vieux manteau. Quand j'aurai appris à écrire votre langue, je les traduirai et je vous les montrerai.

Ils sont dans la chambre de la maison de jeunesse. Claus défait la ficelle avec laquelle est attaché son vieux manteau. Il pose cinq cahiers d'écolier sur la table. Peter les ouvre l'un après l'autre :

– Je suis vraiment curieux de savoir ce que contiennent ces cahiers. Est-ce une sorte de journal ?

Claus dit :

– Non, ce sont des mensonges.

– Des mensonges ?

– Oui. Des choses inventées. Des histoires qui ne sont pas vraies, mais qui pourraient l'être.

Peter dit :

– Dépêchez-vous d'apprendre à écrire notre langue, Claus.

Nous arrivons dans la capitale vers sept heures du soir. Le temps s'est gâté, il fait froid et les gouttes de pluie se sont transformées en cristaux de glace.

Le bâtiment de l'ambassade est entouré d'un grand jardin. On me conduit dans une chambre bien chauffée, avec un lit double et une salle de bains. C'est comme une chambre dans un hôtel de luxe.

Un garçon m'apporte un repas. Je n'en mange que très peu. Ce repas ne ressemble pas à ceux auxquels je me suis réhabitué dans la petite ville. Je pose le plateau devant la porte. A quelques mètres de là, un homme est assis dans le corridor.

Je prends une douche, je me lave les dents avec une brosse toute neuve trouvée dans la salle de bains. J'y trouve aussi un peignoir et, sur mon lit, un pyjama. Je me couche.

Mes douleurs reprennent. J'attends un peu, mais les douleurs deviennent insupportables. Je me lève, je fouille dans ma valise, je trouve mes médicaments, je prends deux pilules et je me recouche. Les douleurs, au lieu de diminuer, augmentent. Je me traîne jusqu'à la porte, je l'ouvre, l'homme est toujours là, assis. Je lui dis :

– Un médecin, s'il vous plaît. Je suis malade. Le cœur.

Il décroche un téléphone fixé au mur à côté de lui. Ensuite, je ne me souviens plus, je m'évanouis. Je me réveille dans un lit d'hôpital.

Je reste à l'hôpital pendant trois jours. Je subis toutes sortes d'examens. Enfin, le cardiologue vient me voir :

– Vous pouvez vous lever et vous habiller. On va vous reconduire à l'ambassade.

Je demande :

– Vous ne m'opérez pas ?

– Une opération n'est pas nécessaire. Votre cœur est en parfait état. Vos douleurs sont causées par votre angoisse, votre anxiété, une dépression profonde. Ne prenez plus de trinitrine, seulement ces calmants puissants que je vous ai prescrits.

Il me tend la main :

– N'ayez pas peur, vous pouvez vivre encore longtemps.

– Je ne veux pas vivre longtemps.

– Dès que vous guérirez de votre dépression, vous changerez d'avis.

Une voiture me ramène à l'ambassade. On me fait entrer dans un bureau. Un homme jeune, souriant, aux cheveux frisés, me désigne un fauteuil en cuir.

– Asseyez-vous. Je suis heureux que tout se soit bien passé à l'hôpital. Mais ce n'est pas pour cela que je vous ai fait venir. Vous êtes à la recherche de votre famille, et particulièrement de votre frère, n'est-ce pas ?

– Oui, mon frère jumeau. Mais sans grand espoir. Auriez-vous trouvé quelque chose ? On m'a dit que les archives étaient détruites.

– Je n'avais pas besoin d'archives. J'ai simplement ouvert l'annuaire du téléphone. Il y a dans cette ville un homme qui porte le même nom que vous. Le même nom de famille, mais aussi le même prénom.

– Claus ?

– Oui. Klaus T., avec un K. Il est donc évident qu'il ne peut s'agir de votre frère. Il peut toutefois être apparenté à votre famille et, éventuellement, vous donner des renseignements. Voici son adresse et son numéro de téléphone, au cas où vous voudriez entrer en contact avec lui.

Je prends l'adresse, je dis :

– Je ne sais pas. J'aimerais d'abord voir la rue et la maison où il habite.

– Je vous comprends. On peut aller y faire un tour vers dix-sept heures. Je vous accompagne. Vous ne pouvez pas sortir seul, sans papiers valables.

Nous traversons la ville. Il fait déjà presque nuit. Dans la voiture, l'homme frisé me dit :

– Je me suis renseigné sur votre homonyme. C'est l'un des poètes les plus importants de ce pays.

Je dis :

– La libraire qui m'a loué son appartement ne m'en a jamais parlé. Elle devait pourtant connaître ce nom.

– Pas forcément. Klaus T. écrit sous un pseudonyme. Son nom de plume est Klaus Lucas. Il a une réputation de misanthrope. On ne le voit jamais en public, et on ignore tout de sa vie privée.

La voiture s'arrête dans une rue étroite entre deux rangées de maisons sans étages, entourées de jardins.

L'homme frisé dit :

– Voilà. Le numéro dix-huit. C'est ici. C'est l'un des plus beaux quartiers de la ville. Le plus calme et le plus cher aussi.

Je ne dis rien. Je regarde la maison. Elle est un peu en retrait de la rue. Du jardin quelques marches mènent à la porte d'entrée. Aux quatre fenêtres donnant sur la rue, les volets verts sont encore ouverts. La lumière est allumée dans la cuisine, les deux fenêtres du salon s'éclairent bientôt d'une lumière bleue. Le bureau reste dans le noir pour l'instant. L'autre partie de la maison, celle qui donne à l'arrière, sur la cour, reste invisible d'ici. Là, il y a encore trois pièces. La chambre à coucher des parents, la chambre des enfants et une chambre d'amis qui servait le plus souvent de chambre de couture à Mère.

Dans la cour, il y avait une sorte de remise pour le bois, pour les vélos et les jouets encombrants. Je me souviens des deux tricycles rouges et des trottinettes en bois. Je me souviens aussi des cerceaux que nous faisions rouler avec une baguette le long de la rue. Un immense cerf-volant était appuyé contre un des murs. Dans la cour, il y avait aussi une balançoire avec deux sièges suspendus l'un à côté de l'autre. Notre mère nous poussait, nous volions jusqu'aux branches du noyer qui est peut-être encore là, derrière la maison.

L'homme de l'ambassade me demande :

– Tout ceci vous rappelle-t-il quelque chose ?

Je dis :

– Non, rien. Je n'avais que quatre ans à l'époque.

– Voulez-vous essayer d'entrer tout de suite ?

– Non. Je vais téléphoner ce soir.

– Oui, cela vaut mieux. C'est un homme qui ne reçoit pas facilement. Peut-être vous sera-t-il impossible de le voir.

Nous rentrons à l'ambassade. Je monte dans ma chambre. Je prépare le numéro à côté du téléphone. Je prends un calmant, j'ouvre la fenêtre. Il neige. Les flocons font un bruit mouillé en tombant sur l'herbe jaune du jardin, sur la terre noire. Je me couche sur le lit.

Je marche dans les rues d'une ville inconnue. Il neige, il fait de plus en plus noir. Les rues que je prends sont de plus en plus mal éclairées. Notre maison d'autrefois se trouve dans la dernière des rues. Plus loin, c'est déjà la campagne. Une nuit sans lumière aucune. En face de la maison, il y a un bistrot. J'y entre, je commande une bouteille de vin. Je suis le seul client.

Les fenêtres de la maison s'éclairent toutes en même temps. Je vois des ombres se déplacer à travers les rideaux. Je finis la bouteille, je sors du bistrot, je traverse la rue, je sonne à la porte du jardin. Personne ne répond, la sonnette ne marche pas. J'ouvre la porte en fer forgé, elle n'est pas fermée à clé. Je monte les cinq marches qui mènent à la porte de la véranda. Je sonne de nouveau. Deux fois, trois fois. Une voix d'homme demande de derrière la porte :

– Qu'est-ce que c'est ? Que voulez-vous ? Qui êtes-vous ?

Je dis :

– C'est moi, Claus.

– Claus, quel Claus ?

– Vous avez bien un fils nommé Claus ?

– Notre fils est ici, dans la maison. Avec nous. Allez-vous-en.

L'homme s'éloigne de la porte. Je recommence à sonner, je frappe, je crie :

– Père, père, laissez-moi entrer. Je me suis trompé. Mon nom est Lucas. Je suis votre fils, Lucas.

Une voix de femme dit :

– Laisse-le entrer.

La porte s'ouvre. Un vieillard me dit :

– Entrez donc.

Il me précède au salon, il s'assied dans un fauteuil. Une très vieille femme est assise dans un autre.

Elle me dit :

– Alors, vous prétendez être notre fils Lucas ? Où étiez-vous jusqu'à présent ?

– A l'étranger.

Mon père dit :

– C'est ça, à l'étranger. Et pourquoi reviens-tu maintenant ?

– Pour vous voir, Père. Vous deux, et aussi Klaus.

Ma mère dit :

– Klaus n'est pas parti, lui.

Père dit :

– Nous t'avons cherché pendant des années.

Mère continue :

– Après, nous t'avons oublié. Tu n'aurais pas dû revenir. Tu déranges tout le monde. Nous avons une vie tranquille, nous ne voulons pas être dérangés.

Je demande :

– Où est Klaus ? Je veux le voir.

Mère dit :

– Il est dans sa chambre. Comme d'habitude. Il dort. Il ne faut pas le réveiller. Il n'a que quatre ans, il a besoin de sommeil.

Père dit :

– Rien ne prouve que vous soyez Lucas. Allez-vous-en.

Je ne les écoute plus, je sors du salon, j'ouvre la porte de la chambre des enfants, j'allume le plafonnier. Assis dans son lit, un petit garçon me regarde et se met à pleurer. Mes parents accourent. Mère prend le petit garçon dans ses bras, elle le berce.

– Il ne faut pas avoir peur, mon petit.

Père m'attrape par le bras, il me fait traverser le salon et la véranda, il ouvre la porte et me pousse dans l'escalier.

– Tu l'as réveillé, espèce d'abruti. Fiche le camp !

Je tombe, ma tête heurte une marche, je saigne, je reste couché dans la neige.

Le froid me réveille. Le vent et la neige entrent dans ma chambre, devant la fenêtre le parquet est mouillé.

Je ferme la fenêtre, je vais chercher un linge dans la salle de bains, j'éponge la flaque d'eau. Je tremble, je claque des dents. Dans la salle de bains il fait chaud, je m'assieds au bord de la baignoire, je reprends un calmant, j'attends que mes tremblements disparaissent.

Il est sept heures du soir. On m'apporte un repas. Je demande au garçon si je peux avoir une bouteille de vin.

Il me dit :

– Je vais voir.

Il apporte la bouteille quelques minutes plus tard.

Je dis :

– Vous pouvez débarrasser le plateau.

Je bois. Je marche dans ma chambre. De la fenêtre à la porte, de la porte à la fenêtre.

A huit heures, je m'assieds sur le lit et je compose le numéro de téléphone de mon frère.

Deuxième partie

Il est huit heures, le téléphone sonne. Mère est déjà couchée. Moi, je regarde la télévision, un film policier, comme tous les soirs.

Je crache le biscuit que je suis en train de manger dans une serviette en papier. Je pourrai le reprendre plus tard.

Je décroche le téléphone. Je ne dis pas mon nom, je dis seulement :

– Allô, j'écoute.

Une voix d'homme au bout du fil dit :

– Ici, Lucas T. J'aimerais parler à mon frère Klaus T.

Je me tais. La sueur coule le long de mon dos. Je dis enfin :

– C'est une erreur. Je n'ai pas de frère.

La voix dit :

– Si. Un frère jumeau. Lucas.

– Mon frère est mort depuis longtemps.

– Non, je ne suis pas mort. Je suis vivant, Klaus, et j'aimerais te revoir.

– Où êtes-vous ? D'où venez-vous ?

– J'ai vécu longtemps à l'étranger. Je me trouve actuellement ici, dans la capitale, à l'ambassade de D.

Je prends une grande respiration et je dis d'un trait :

– Je ne crois pas que vous soyez mon frère. Je ne reçois jamais, je ne veux pas être dérangé.

Il insiste :

– Cinq minutes, Klaus. Je ne te demande que cinq minutes. Dans deux jours je quitterai le pays et je ne reviendrai plus.

– Venez demain. Mais pas avant huit heures du soir.

Il dit :

– Merci. Je serai chez nous, je veux dire chez toi à huit heures et demie.

Il raccroche.

J'éponge mon front. Je retourne devant le poste de télévision. Je ne comprends plus rien au film. Je vais jeter le reste de biscuit dans la poubelle. Je n'ai plus envie de manger. « Chez nous. » Oui, c'était ici chez nous autrefois, mais il y a bien longtemps de cela. Maintenant, c'est chez moi, tout ce qui est ici est seulement à moi.

Tout doucement, j'ouvre la porte de la chambre de Mère. Elle dort. Elle est si menue, on dirait une enfant. J'écarte ses cheveux gris de son visage, je l'embrasse sur le front, je caresse ses mains ridées posées sur la couverture. Elle sourit dans son sommeil, elle me serre la main, elle murmure :

– Mon petit. Tu es là.

Ensuite, elle ajoute le nom de mon frère :

– Lucas, mon petit Lucas.

Je sors de la chambre, je prends une bouteille d'alcool fort dans la cuisine, je m'installe dans le bureau pour écrire, comme toutes les nuits. Ce bureau était celui de notre père, je n'y ai rien changé, ni la vieille machine à écrire, ni le siège en bois inconfortable, ni la lampe, ni le porte-crayons. J'essaie d'écrire, mais je ne peux que pleurer en pensant à la « chose » qui a gâché notre vie, notre vie à tous.

Lucas viendra demain. Je sais que c'est lui. Dès la première sonnerie du téléphone j'ai su que c'était lui. Mon téléphone ne sonne presque jamais. Si je l'ai fait installer, c'est pour Mère, en cas d'urgence, pour faire des commandes les jours où je n'ai pas la force d'aller jusqu'au supermarché ou bien les jours où l'état de Mère ne me permet pas de sortir.

Lucas viendra demain. Comment faire pour que Mère ne le sache pas ? Qu'elle ne se réveille pas pendant la visite de Lucas ? La déplacer ? Fuir ? Où ? Comment ? Quelle raison donner à Mère ? Nous ne sommes jamais partis d'ici. Mère ne veut pas partir d'ici. Elle pense que c'est le seul endroit où Lucas puisse nous retrouver quand il reviendra.

En effet, c'est ici qu'il nous a retrouvés.

Si c'est bien lui.

C'est bien lui.

Je n'ai besoin d'aucune preuve pour le savoir. Je le sais. Je le savais, j'ai toujours su qu'il n'était pas mort, qu'il reviendrait.

Mais pourquoi maintenant ? Pourquoi si tard ? Pourquoi après cinquante ans d'absence ?

Je dois me défendre. Je dois défendre Mère. Je ne veux pas que Lucas détruise notre tranquillité, nos habitudes, notre bonheur. Je ne veux pas de bouleversements dans notre vie. Ni Mère ni moi ne supporterions que Lucas recommence à fouiller dans le passé, à remuer des souvenirs, à poser des questions à Mère.

Je dois à tout prix écarter Lucas, l'empêcher de rouvrir l'effroyable blessure.

C'est l'hiver. Je dois économiser le charbon. Je chauffe un peu la chambre de Mère à l'aide d'un radiateur électrique que j'allume une heure avant son coucher, que j'éteins quand elle s'est endormie, et que je rallume une heure avant qu'elle ne se lève.

En ce qui me concerne, la chaleur de la cuisinière et le chauffage au charbon du salon me suffisent. Je me lève tôt pour faire du feu d'abord à la cuisine et, quand il y a assez de braise, j'en apporte un peu dans le fourneau du salon. J'ajoute quelques briquettes de charbon, et une demi-heure plus tard il y fait chaud, là aussi.

Tard le soir, quand Mère dort déjà, j'ouvre la porte du bureau, et la chaleur du salon y entre immédiatement. C'est une petite pièce, elle se réchauffe très vite. C'est là que je me mets en pyjama, en robe de chambre, avant d'écrire. Comme cela, après avoir écrit, je n'ai qu'à aller dans ma chambre et à me coucher.

Ce soir, je tourne en rond dans l'appartement. Je passe et je m'arrête plusieurs fois dans la cuisine. Je vais ensuite dans la chambre des enfants. Je regarde le jardin. Les branches dénudées du noyer frôlent la fenêtre. Une neige fine se dépose sur les branches, sur la terre, en couches minces, verglacées.

Je me promène d'une pièce à l'autre. J'ai déjà ouvert la porte du bureau, c'est là que je vais recevoir mon frère. Je fermerai la porte dès que mon frère sera là, tant pis s'il y fait froid, je ne veux pas que Mère nous entende ou que notre conversation la réveille.

Que dirais-je dans ce cas ?

Je dirais :

– Recouche-toi, Mère, ce n'est qu'un journaliste.

Et je dirais à l'autre, à mon frère :

– Ce n'est qu'Antonia, ma belle-mère, la mère de ma femme. Elle habite chez nous depuis quelques années, depuis son veuvage. Elle n'a pas toute sa tête. Elle confond tout, elle mélange tout. Elle s'imagine parfois qu'elle est ma propre mère sous prétexte que c'est elle qui m'a élevé.

Il faut que je les empêche de se voir, sinon ils se reconnaîtront. Mère reconnaîtra Lucas. Et si Lucas ne reconnaît pas notre mère, elle lui dira en le reconnaissant :

– Lucas, mon fils !

Je ne veux pas de « Lucas, mon fils ! ». Plus maintenant. Ce serait trop facile.

Aujourd'hui, j'ai avancé les montres et les horloges de la maison d'une heure pendant que Mère faisait la sieste. Heureusement, la nuit tombe très tôt à cette époque. Vers cinq heures de l'après-midi, il fait déjà nuit.

Je prépare le repas de Mère avec une heure d'avance. Purée de carottes avec quelques pommes de terre, viande hachée en rôti, et une crème caramel pour le dessert.

Je dresse la table à la cuisine, je vais chercher Mère dans sa chambre. Elle vient dans la cuisine, elle dit :

– Je n'ai pas encore faim.

Je dis :

– Tu n'as jamais faim, Mère. Il faut manger.

Elle dit :

– Je mangerai plus tard.

Je dis :

– Plus tard, tout sera froid.

Elle dit :

– Tu n'as qu'à réchauffer. Ou alors, je ne mangerai pas du tout.

Je dis :

– Je te prépare une tisane pour t'ouvrir l'appétit.

Dans sa tisane, je mets un somnifère, de ceux qu'elle prend habituellement. A côté de la tisane, je lui en présente un autre.

Dix minutes après, Mère s'endort devant la télévision. Je la prends dans mes bras, je l'emporte dans sa chambre, je la déshabille, je la couche.

Je reviens au salon. Je baisse le son de la télévision, les lumières aussi. Je replace les aiguilles à l'heure juste sur le réveil de la cuisine et sur l'horloge du salon.

J'ai encore le temps de manger avant l'arrivée de mon frère. Je mange dans la cuisine un peu de purée de carottes, un peu de rôti haché. Mère mastique mal malgré le dentier que je lui ai fait faire il n'y a pas longtemps. Sa digestion n'est pas très bonne non plus.

Quand j'ai fini de manger, je fais la vaisselle, je mets les restes dans le réfrigérateur, il y en aura juste assez pour le repas de midi.

Je m'installe dans le salon. Je prépare deux verres et une bouteille d'eau-de-vie sur la petite table à côté de mon fauteuil. Je bois, j'attends. A huit heures juste, je vais voir Mère. Elle dort profondément. Le film policier commence, j'essaie de le regarder. Vers huit heures vingt, je renonce au film, je me poste devant la fenêtre de la cuisine. Ici, la lumière est éteinte, il est impossible de me voir de l'extérieur.

A vingt heures trente exactement, une grande voiture noire s'arrête devant la maison, se gare sur le trottoir. Un homme en sort, s'approche de la grille, sonne.

Je retourne au salon, je dis dans l'interphone :

– Entrez. La porte est ouverte.

J'allume la lampe de la véranda, je me rassieds dans mon fauteuil, mon frère entre. Il est maigre et pâle, il avance vers moi en boitant, une serviette sous le bras. Des larmes me viennent aux yeux, je me lève, je lui tends la main :

– Soyez le bienvenu.

Il dit :

– Je ne te dérangerai pas longtemps. Une voiture m'attend.

Je dis :

– Venez dans mon bureau. Nous y serons plus tranquilles.

Je laisse le son de la télévision. Si Mère se réveille, elle entendra la pièce policière comme tous les soirs.

Mon frère demande :

– Tu n'éteins pas la télévision ?

– Non. Pourquoi ? Dans le bureau nous ne l'entendrons pas.

Je prends la bouteille et les deux verres, je m'installe derrière mon bureau, je désigne un siège en face de moi :

– Asseyez-vous.

Je soulève la bouteille :

– Un verre ?

– Oui.

Nous buvons. Mon frère dit :

– C'était le bureau de notre père. Rien n'a changé. Je reconnais la lampe, la machine à écrire, le meuble, les chaises.

Je souris :

– Que reconnaissez-vous d'autre ?

– Tout. La véranda et le salon. Je sais où se trouvent la cuisine, la chambre des enfants et celle des parents.

Je dis :

– Cela n'est pas bien difficile. Toutes ces maisons sont construites sur le même modèle.

Il continue :

– Devant la fenêtre de la chambre des enfants, il y avait un noyer. Ses branches touchaient la vitre, et une balançoire y était accrochée. Avec deux sièges. Au fond de la cour, sous l'auvent, nous rangions les trottinettes et les tricycles.

Je dis :

– Il y a encore des jouets sous l'auvent, mais ce ne sont pas les mêmes. Ceux-là appartiennent à mes petits-enfants.

Nous nous taisons. Je remplis de nouveau les verres. Quand il repose le sien, Lucas demande :

– Dis-moi, Klaus, où sont nos parents ?

– Les miens sont morts. Quant aux vôtres, je ne le sais pas.

– Pourquoi ne me tutoies-tu pas, Klaus ? Je suis ton frère Lucas. Pourquoi ne veux-tu pas me croire ?

– Parce que mon frère est mort. J'aimerais beaucoup voir vos papiers, si cela ne vous fait rien.

Mon frère sort de sa poche un passeport étranger, il me le tend. Il dit :

– Ne vous y fiez pas trop. Il comporte quelques erreurs.

J'examine le passeport :

– Vous vous appelez donc Claus, avec un C. Votre date de naissance n'est pas la même que la mienne, et pourtant Lucas et moi, nous étions jumeaux. Vous avez trois ans de plus que moi.

Je lui rends son passeport. Les mains de mon frère tremblent, sa voix aussi :

– Quand j'ai traversé la frontière, j'avais quinze ans. J'ai donné une fausse date de naissance pour paraître plus âgé, donc majeur. Je ne voulais pas être mis sous tutelle.

– Et le prénom ? Pourquoi avoir changé de prénom ?

– A cause de toi, Klaus. Quand je remplissais le questionnaire dans le bureau des gardes-frontière, j'ai pensé à toi, à ton prénom, à ce prénom qui m'accompagnait tout au long de mon enfance. Alors, au lieu de Lucas, j'ai écrit Claus. Tu as fait la même chose en publiant tes poèmes sous le nom de Klaus Lucas. Pourquoi Lucas ? En souvenir de moi ?

Je dis :

– En souvenir de mon frère, en effet. Mais comment savez-vous que je publie des poèmes ?

– Moi aussi, j'écris, mais ce ne sont pas des poèmes.

Il ouvre sa serviette, il en sort un grand cahier d'écolier qu'il pose sur la table.

– Voici mon dernier manuscrit. Il est inachevé. Je n'aurai pas le temps de le finir. Je te le laisse. Tu le finiras. Il faut que tu le finisses.

J'ouvre le cahier, mais il m'arrête d'un geste :

– Non, pas maintenant. Quand je serai parti. Il y a une chose importante que j'aimerais savoir. D'où vient ma blessure ?

– Quelle blessure ?

– Une blessure près de la colonne vertébrale. Une blessure causée par une balle. D'où vient-elle ?

– Comment voulez-vous que je le sache ? Mon frère Lucas n'avait pas de blessure. Il a eu une maladie d'enfance. La poliomyélite, je crois. Je n'avais que quatre ou cinq ans quand il est mort, je ne peux pas m'en souvenir avec exactitude. Ce que j'en sais, c'est ce que l'on m'a dit plus tard.

Il dit :

– Oui, c'est cela. Moi aussi, j'ai longtemps cru que j'avais eu une maladie d'enfance. C'est ce que l'on me disait. Mais plus tard j'ai appris que j'avais reçu une balle. Où ? Comment ? La guerre venait tout juste de commencer.

Je me tais, je hausse les épaules. Lucas poursuit :

– Si ton frère est mort, il doit y avoir une tombe. Sa tombe. Où est-elle ? Peux-tu me la montrer ?

– Non, je ne le peux pas. Mon frère est enterré dans une fosse commune de la ville de S.

– Ah oui ? Et la tombe de Père, et la tombe de Mère, où sont-elles ? Peux-tu me les montrer ?

– Non, je ne le peux pas non plus. Mon père n'est pas revenu de la guerre, et ma mère est enterrée avec mon frère Lucas dans la ville de S.

Il demande :

– Je ne suis donc pas mort d'une poliomyélite ?

– Mon frère, non. Il est mort au cours d'un bombardement. Ma mère venait de l'accompagner dans la ville de S., où il devait être soigné dans un Centre de rééducation. Le Centre a été bombardé, et ni mon frère ni ma mère ne sont revenus.

Lucas dit :

– Si on t'a dit ça, on t'a menti. Mère ne m'a pas accompagné dans la ville de S. Et elle n'y est jamais venue me voir. J'ai vécu plusieurs années dans le Centre avec ma prétendue maladie d'enfance avant qu'il soit bombardé. Et je ne suis pas mort pendant ce bombardement, j'ai survécu.

Je hausse les épaules derechef :

– Vous, oui. Mon frère non. Ni ma mère.

Nous nous regardons dans les yeux, je soutiens son regard :

– Il s'agit, comme vous le voyez, de deux destins différents. Il faut continuer vos recherches dans une autre direction.

Il secoue la tête :

– Non, Klaus, et tu le sais bien. Tu sais que je suis ton frère Lucas, mais tu le nies. De quoi as-tu peur ? Dis-moi, Klaus, de quoi ?

Je réponds :

– De rien. De quoi pourrais-je avoir peur ? Si j'étais convaincu que vous êtes mon frère, je serais le plus heureux des hommes de vous avoir retrouvé.

Il demande :

– Dans quel but serais-je venu te trouver si je n'étais pas ton frère ?

– Je n'en sais rien. Il y a aussi votre aspect.

– Mon aspect ?

– Oui. Regardez-moi et regardez-vous. Est-ce qu'il y a la moindre ressemblance physique entre nous ? Lucas et moi, nous étions de vrais jumeaux, nous nous ressemblions parfaitement. Vous, vous avez une tête et trente kilos de moins que moi.

Lucas dit :

– Tu oublies ma maladie, mon infirmité. C'est un miracle si j'ai réappris à marcher.

Je dis :

– Laissons cela. Dites-moi ce qui est advenu de vous après le bombardement.

Il dit :

– Comme mes parents ne m'ont pas réclamé, j'ai été placé chez une vieille paysanne dans la ville de K. J'ai vécu et travaillé chez elle jusqu'à mon départ pour l'étranger.

– Et à l'étranger, que faisiez-vous ?

– Toutes sortes de choses, et puis j'ai écrit des livres. Et toi, Klaus, comment as-tu vécu après la mort de Mère et de Père ? D'après ce que tu me racontes, tu es devenu orphelin très jeune.

– Oui, très jeune. Mais j'ai eu de la chance. Je n'ai

passé que quelques mois dans un orphelinat. Une famille amie m'a recueilli. J'ai été très heureux dans cette famille. C'était une famille nombreuse avec quatre enfants, dont j'ai épousé plus tard la fille aînée, Sarah. Nous avons eu deux enfants, une fille et un garçon. A présent, je suis grand-père, un grand-père heureux.

Lucas dit :

– C'est curieux. En entrant ici, j'ai eu l'impression que tu vivais seul.

– Je suis seul en ce moment, c'est vrai. Mais seulement jusqu'à Noël. J'ai un travail urgent à finir. Un choix de nouveaux poèmes à préparer. Ensuite, je vais rejoindre Sarah, mon épouse, mes enfants et petits-enfants dans la ville de K. C'est là que nous passerons les vacances d'hiver tous ensemble. Nous y possédons une maison héritée des parents de ma femme.

Lucas dit :

– J'ai vécu dans la ville de K. Je connais très bien cette ville. Où est située votre maison ?

– Place Principale, en face du Grand Hôtel, à côté de la librairie.

– Je viens de passer plusieurs mois dans la ville de K. J'ai justement habité au-dessus de la librairie.

Je dis :

– Quelle coïncidence. C'est une très belle ville, n'est-ce pas ? J'y ai souvent passé mes vacances dans mon enfance, et mes petits-enfants l'apprécient beaucoup. Surtout les jumeaux, les fils de ma fille.

– Des jumeaux ? Comment s'appellent-ils ?

– Klaus et Lucas, évidemment.

– Évidemment.

– Mon fils n'a pour le moment qu'une petite fille qui s'appelle Sarah comme sa grand-mère, c'est-à-dire ma femme. Mais mon fils est encore jeune, il peut avoir d'autres enfants lui aussi.

Lucas dit :

– Tu es un homme heureux, Klaus.

Je réponds :

– Oui. Très heureux. Vous aussi, je suppose, vous avez une famille.

Il dit :

– Non. J'ai toujours vécu seul.

– Pourquoi ?

Lucas dit :

– Je ne sais pas. Peut-être parce que personne ne m'a appris à aimer.

Je dis :

– C'est dommage. Les enfants apportent beaucoup de joie. Je ne peux pas imaginer ma vie sans eux.

Mon frère se lève :

– On m'attend dans la voiture. Je ne veux pas te déranger plus longtemps.

Je souris :

– Vous ne m'avez pas dérangé. Alors, vous allez retourner dans votre pays d'adoption ?

– Naturellement. Je n'ai plus rien à faire ici. Adieu, Klaus.

Je me lève :

- Je vous accompagne.

Au portail du jardin, je lui tends la main :

– Au revoir, monsieur. J'espère que finalement vous allez retrouver votre véritable famille. Je vous souhaite beaucoup de chance.

Il dit :

– Tu tiens ton rôle jusqu'au bout, Klaus. Si j'avais su que tu avais le cœur aussi dur, je n'aurais jamais cherché à te rencontrer. Je regrette sincèrement d'être venu.

Mon frère monte dans la grande voiture noire qui démarre et l'emporte.

En montant l'escalier de la véranda, je glisse sur les marches verglacées, je tombe, mon front heurte un angle de pierre, le sang coule dans mes yeux, se mélange avec mes larmes. J'ai envie de rester couché là jusqu'à ce que je gèle et que je meure, mais je ne peux pas, je dois m'occuper de Mère demain matin.

J'entre dans la maison, je vais à la salle de bains, je lave ma blessure, je la désinfecte, j'y mets du sparadrap, puis je retourne au bureau pour lire le manuscrit de mon frère.

Le lendemain matin, Mère demande :

– Où t'es-tu blessé, Klaus ?

Je dis :

– Dans l'escalier. Je suis descendu pour vérifier si la porte était bien fermée. J'ai glissé sur le verglas.

Mère dit :

– Tu as certainement trop bu. Tu es un ivrogne, un incapable et un maladroit. Tu n'as pas encore fait mon thé ? C'est tout de même incroyable ! En plus, il fait froid. Ne pourrais-tu pas te lever une demi-heure plus tôt, pour que je trouve la maison chauffée et mon thé prêt au moment où je me réveille ? Tu n'es qu'un paresseux, un bon à rien.

Je dis :

– Voici le thé. Dans quelques minutes, il va faire

chaud, tu verras. La vérité est que je ne me suis pas couché du tout, j'ai écrit toute la nuit.

Elle dit :

– Encore ? Monsieur préfère écrire toute la nuit plutôt que de s'occuper du chauffage et du thé. Tu n'as qu'à écrire la journée, travailler comme tout le monde, et non pas pendant la nuit.

Je dis :

– Oui, Mère. Ce serait mieux de travailler pendant la journée. Mais, à l'imprimerie, j'ai pris l'habitude de travailler la nuit. Je n'y peux rien. De toute façon, le jour, il y a trop de choses qui me dérangent. Il y a les courses à faire, les repas à préparer, et surtout le bruit de la rue.

Mère dit :

– Et il y a moi, n'est-ce pas ? Dis-le, dis-le clairement, c'est moi qui te dérange le jour. Tu ne peux écrire qu'une fois ta mère couchée et endormie, n'est-ce pas ? Tu es toujours très pressé de me voir aller au lit le soir. Je l'ai compris. Il y a bien longtemps que j'ai compris.

Je dis :

– En effet, Mère, je dois être absolument seul quand j'écris. J'ai besoin de silence et de solitude.

Elle dit :

– Je ne suis pas très bruyante, ni très envahissante que je sache. Tu n'as qu'à me le dire, et je ne sortirai plus de ma chambre. Je ne te dérangerai plus, tu n'auras plus à faire les courses et les repas, tu n'auras rien d'autre à faire qu'écrire, une fois que je serai dans la tombe. Là, au moins, je retrouverai mon fils Lucas qui ne m'a jamais maltraitée, qui n'a jamais souhaité ma mort, ni mon absence. Là, je serai heureuse, et personne ne me reprochera quoi que ce soit.

Je dis :

– Mère, je ne te reproche rien, et tu ne me déranges pas du tout. Je fais volontiers les courses et les repas, mais j'ai besoin de la nuit pour écrire. Depuis que j'ai quitté l'imprimerie, mes poèmes sont notre seul revenu.

Elle dit :

– Justement. Tu n'aurais pas dû quitter l'imprimerie. L'imprimerie, c'était un travail normal, raisonnable.

Je dis :

– Mère, tu le sais bien, c'est la maladie qui m'a obligé à quitter mon travail. Je ne pouvais plus continuer sans y laisser ma santé.

Mère ne répond plus, elle s'installe devant la télévision, mais au repas du soir elle recommence :

– La maison va à sa ruine. La gouttière s'est détachée, l'eau coule n'importe où dans le jardin, bientôt il va pleuvoir dans la maison. Les herbes folles envahissent le jardin, les chambres sont noircies par la fumée, la fumée des cigarettes de monsieur. La cuisine est jaune à cause de cette fumée, les rideaux des fenêtres du salon aussi. Ne parlons pas du bureau ou de la chambre des enfants où la fumée a tout imprégné. On ne peut plus respirer dans cette maison, et même pas dans le jardin où les fleurs meurent à cause de la pestilence qui sort de la maison.

Je dis :

– Oui, Mère. Calme-toi, Mère. Il n'y a pas de fleurs dans le jardin parce que c'est l'hiver. Je vais faire repeindre les chambres et la cuisine. Heureusement que tu m'y fais penser. Pour le printemps, je fais tout repeindre et je fais réparer la gouttière.

Après avoir pris son somnifère, Mère se calme, elle va au lit.

Je m'assieds devant le poste de télévision, je regarde le film policier comme tous les soirs, je bois. Ensuite, je vais dans mon bureau, je relis les dernières pages du manuscrit de mon frère et je me mets à écrire.

Nous étions toujours quatre à table. Père, Mère et nous deux.

Tout au long du jour, Mère chantait. Dans la cuisine, dans le jardin, dans la cour. Elle chantait aussi le soir dans notre chambre pour nous endormir.

Père ne chantait pas. Il sifflait parfois en coupant du bois pour la cuisinière, et nous entendions sa machine à écrire sur laquelle il tapait le soir et même tard dans la nuit.

C'était un bruit agréable et rassurant comme une musique, comme la machine à coudre de Mère, le bruit de la vaisselle, le chant des merles dans le jardin, le vent dans les feuilles de la vigne sauvage de la véranda et dans les branches du noyer de la cour.

Le soleil, le vent, la nuit, la lune, les étoiles, les nuages, la pluie, la neige, tout était merveille. Nous n'avions peur de rien. Ni des ombres ni des histoires que les adultes se racontaient. Des histoires de guerre. Nous avions quatre ans.

Un soir, Père arrive habillé en uniforme. Il suspend son manteau et sa ceinture au portemanteau près de la porte du salon. A la ceinture est suspendu un revolver.

Père dit pendant le repas :

– Je dois partir dans une autre ville. La guerre a été déclarée, je suis mobilisé.

Nous disons :

– Nous ne savions pas que vous étiez militaire, Père. Vous êtes journaliste et non pas soldat.

Il dit :

– En temps de guerre, tous les hommes sont soldats, même les journalistes. Surtout les journalistes. Je dois observer et décrire ce qui se passe sur le front. Cela s'appelle être correspondant de guerre.

Nous demandons :

– Pourquoi avez-vous un revolver ?

– Parce que je suis officier. Les soldats ont un fusil, et les officiers un revolver.

Père dit à Mère :

– Couche les enfants. J'ai à te parler.

Mère nous dit :

– Allez au lit. Je viendrai vous raconter une histoire. Dites au revoir à votre père.

Nous embrassons Père, puis nous allons dans notre chambre, mais nous en ressortons tout de suite en silence. Nous nous asseyons dans le corridor, juste derrière la porte du salon.

Père dit :

– Je vais vivre avec elle. C'est la guerre, je n'ai pas de temps à perdre. Je l'aime.

Mère demande :

– Tu ne penses pas aux enfants ?

Père dit :

– Elle aussi, elle attend un enfant. C'est pourquoi je ne peux plus me taire.

– Tu veux le divorce ?

– Ce n'est pas le moment. Après la guerre, on verra.

En attendant, je vais déjà reconnaître l'enfant à naître. Il est possible que je ne revienne pas. On ne sait jamais.

Mère demande :

– Tu ne nous aimes plus ?

Père dit :

– La question n'est pas là. Je vous aime. Je m'occuperai toujours des garçons et de toi. Mais j'aime aussi une autre femme. Peux-tu comprendre cela ?

– Non. Je ne peux pas, et je ne veux pas le comprendre.

Nous entendons un coup de feu. Nous ouvrons la porte du salon. C'est Mère qui a tiré. Elle tient le revolver de Père. Elle tire encore. Père est par terre, Mère tire toujours. A côté de moi, Lucas tombe, lui aussi. Mère jette le revolver, elle hurle, elle s'agenouille à côté de Lucas.

Je sors de la maison, je cours dans la rue, je crie : « Au secours », des gens m'attrapent, me ramènent dans la maison, ils essaient de me calmer. Ils essaient aussi de calmer Mère, mais elle continue à hurler : « Non, non, non. »

Le salon est plein de monde. Des policiers arrivent et deux ambulances. On nous emmène tous à l'hôpital.

A l'hôpital, on me fait une piqûre pour dormir parce que je crie encore.

Le lendemain, le médecin dit :

– Il va bien. Il n'a pas été touché. Il peut rentrer.

L'infirmière dit :

– Rentrer où ? Il n'y a personne chez lui. Et il n'a que quatre ans.

Le médecin dit :

– Voyez l'assistante sociale.

L'infirmière me conduit dans un bureau. L'assistante sociale est une vieille femme avec un chignon. Elle me pose des questions :

– As-tu une grand-mère ? Une tante ? Une voisine qui t'aime bien ?

Je demande :

– Où est Lucas ?

Elle dit :

– Il est ici, à l'hôpital. Il est blessé.

Je dis :

– Je veux le voir.

Elle dit :

– Il est inconscient.

– Qu'est-ce que ça veut dire ?

– Il ne peut pas parler pour le moment.

– Il est mort ?

– Non, mais il doit se reposer.

– Et ma mère ?

– Ta mère va bien. Mais tu ne peux pas la voir, elle non plus.

– Pourquoi ? Elle est blessée, elle aussi ?

– Non, elle dort.

– Et mon père, il dort aussi ?

– Oui, ton père dort aussi.

Elle me caresse les cheveux.

Je demande :

– Pourquoi ils dorment tous, et pas moi ?

Elle dit :

– C'est ainsi. Ces choses-là arrivent parfois. Toute une famille se met à dormir, et celui qui ne dort pas reste seul.

– Je ne veux pas rester seul. Je veux dormir, moi aussi, comme Lucas, comme Mère, comme Père.

Elle dit :

– Quelqu'un doit rester éveillé pour les attendre et pour s'occuper d'eux quand ils reviendront, quand ils se réveilleront.

– Parce qu'ils se réveilleront ?

– Certains d'entre eux, oui. Du moins, il faut l'espérer.

Nous nous taisons un moment. Elle demande :

– Tu ne connais personne qui pourrait s'occuper de toi en attendant ?

Je demande :

– En attendant quoi ?

– En attendant que quelqu'un de chez toi revienne.

Je dis :

– Non, personne. Et je n'ai pas envie qu'on s'occupe de moi. J'ai envie de retourner dans ma maison.

Elle dit :

– Tu ne peux pas vivre seul dans ta maison à ton âge. Si tu n'as personne, je suis obligée de te confier à un orphelinat.

Je dis :

– Cela m'est égal. Si je ne peux pas vivre dans notre maison, peu m'importe où j'irai.

Une femme entre dans le bureau, elle dit :

– Je suis venue chercher le petit garçon. Je veux le prendre chez moi. Il n'a personne d'autre. Je connais sa famille.

L'assistante sociale me dit d'aller me promener dans le corridor. Il y a des gens dans les corridors. Assis sur des bancs, ils discutent. Ils sont presque tous habillés de robes de chambre.

Ils disent :

– C'est terrible.

– C'est dommage, une si belle famille.

– Elle avait raison.

– Les hommes, voilà les hommes.

– C'est une honte, toutes ces petites femmes.

– Et tout ça, juste maintenant que la guerre commence.

– On a vraiment d'autres soucis.

La femme qui a dit « Je veux prendre le petit garçon chez moi » sort du bureau. Elle me dit :

– Tu peux venir avec moi. Je m'appelle Antonia. Et toi ? Es-tu Lucas ou Klaus ?

Je donne la main à Antonia :

– Je suis Klaus.

Nous prenons l'autobus, nous marchons. Nous entrons dans une petite chambre où il y a un grand lit et un petit lit d'enfant, un lit-cage.

Antonia me dit :

– Tu es encore assez petit pour dormir dans ce lit, n'est-ce pas ?

Je dis :

– Oui.

Je me couche dans le lit d'enfant. J'ai juste assez de place, mes pieds touchent les barreaux.

Antonia dit encore :

– Le petit lit est pour mon enfant à venir. Ce sera ton frère ou ta sœur.

Je dis :

– J'ai déjà un frère. Je n'en veux pas d'autre. Une sœur non plus.

Antonia est couchée sur le grand lit, elle dit :

– Viens, viens près de moi.

Je sors de mon lit, je vais près du sien. Elle me prend la main, elle la pose sur son ventre :

– Le sens-tu ? Il bouge. Il sera bientôt avec nous.

Elle me tire contre elle, dans le lit, elle me berce :

– Pourvu qu'il soit aussi beau que toi.

Ensuite, elle me remet dans le petit lit.

Chaque fois qu'Antonia me berçait, je sentais les mouvements du bébé, et je croyais que c'était Lucas. Je me trompais. C'est une petite fille qui est sortie du ventre d'Antonia.

Je suis assis dans la cuisine. Deux vieilles femmes m'ont dit de rester dans la cuisine. J'entends les cris d'Antonia. Je ne bouge pas. Les deux vieilles femmes viennent de temps en temps pour chauffer l'eau et pour me dire :

– Reste tranquille.

Plus tard, une des vieilles me dit :

– Tu peux entrer.

J'entre dans la chambre, Antonia me tend les bras, elle m'embrasse, elle rit :

– C'est une petite fille. Regarde. Une belle petite fille, ta sœur.

Je regarde dans le berceau. Une petite chose violette y hurle. Je prends sa main, je compte, je caresse ses doigts un à un, elle en a dix. Je fourre son pouce gauche dans sa bouche, elle arrête de pleurer.

Antonia me sourit :

– Nous l'appellerons Sarah. Ce nom te plaît-il ?

Je dis :

– Oui, n'importe quel nom. Ça n'a pas d'importance. Elle est ma petite sœur, n'est-ce pas ?

– Oui, ta petite sœur à toi.

– Et à Lucas aussi ?

– Oui, à Lucas aussi.

Antonia se met à pleurer. Je lui demande :

– Où dormirai-je maintenant que le petit lit est pris ?

Elle dit :

– Dans la cuisine. J'ai demandé à ma mère de te préparer un lit dans la cuisine.

Je demande :

– Je ne peux plus dormir dans votre chambre ?

Antonia dit :

– Il vaut mieux que tu dormes dans la cuisine. Le bébé va pleurer souvent et réveiller tout le monde plusieurs fois par nuit.

Je dis :

– Si elle pleure et si elle te dérange, tu n'as qu'à mettre son pouce dans sa bouche. Le pouce gauche, comme moi.

Je retourne dans la cuisine. Il n'y a plus qu'une seule vieille femme, la mère d'Antonia. Elle me donne à manger des tartines au miel. Elle me fait boire du lait. Puis elle me dit :

– Couche-toi, mon petit. Tu peux choisir le lit qui te plaît.

Deux matelas sont posés par terre avec des oreillers et des couvertures. Je choisis le matelas posé sous la fenêtre, comme cela, je peux regarder le ciel et les étoiles.

La mère d'Antonia se couche sur l'autre matelas, et avant de s'endormir, elle prie :

– Dieu tout-puissant, aidez-moi. L'enfant n'a même pas de père. Ma fille avec un enfant qui n'a pas de père ! Si mon mari savait ça ! Je lui ai menti. Je lui ai caché la vérité. Et l'autre enfant, qui n'est même pas le sien ! Et tout ce malheur. Que dois-je faire pour sauver cette pécheresse ?

Grand-Mère marmonne et je m'endors, heureux d'être près d'Antonia et de Sarah.

La mère d'Antonia se lève tôt le matin. Elle m'envoie faire des courses dans un magasin du quartier. Je n'ai qu'à tendre la liste et donner l'argent.

La mère d'Antonia prépare les repas. Elle baigne le bébé et le change plusieurs fois par jour. Elle fait la lessive qu'elle étend sur des cordes au-dessus de nous dans la cuisine. Pendant tout ce temps, elle marmonne. Des prières peut-être.

Elle ne reste pas longtemps. Dix jours après la naissance de Sarah, elle s'en va avec sa valise et avec ses prières.

Je suis bien dans la cuisine tout seul. Le matin, je me lève tôt pour aller chercher du lait et du pain. Quand Antonia se réveille, j'arrive dans la chambre avec un biberon pour Sarah et avec du café pour Antonia. Parfois, c'est moi qui donne le biberon, ensuite je peux assister au bain de Sarah, et j'essaie de la faire rire avec les jouets que nous lui avons achetés ensemble, Antonia et moi.

Sarah est de plus en plus jolie. Des cheveux et des dents lui poussent, elle sait rire, et elle a très bien appris à sucer son pouce gauche.

Malheureusement, Antonia doit reprendre le travail parce que ses parents ne lui envoient plus d'argent.

Antonia part tous les soirs. Elle travaille dans un cabaret, elle danse et elle chante. Elle rentre tard dans la nuit, le matin elle est fatiguée, elle ne peut pas s'occuper de Sarah.

Une voisine vient tous les matins, elle donne son bain à Sarah, puis elle la pose dans son parc avec ses jouets dans la cuisine. Je joue avec elle pendant que la voisine prépare le repas de midi et fait la lessive. Après la vaisselle, la voisine s'en va, et c'est moi qui m'occupe de tout si Antonia dort encore.

L'après-midi, je fais des promenades avec Sarah dans la poussette. Nous nous arrêtons dans les parcs où il y a des aires de jeux, et je laisse courir Sarah dans l'herbe, jouer dans le sable, je la balance sur les escarpolettes.

Quand j'ai six ans, je suis obligé d'aller à l'école. La première fois, Antonia m'accompagne. Elle parle avec l'instituteur, et elle me laisse seul. Quand les cours s'achèvent, je rentre en courant pour voir si tout va bien, et pour aller me promener avec Sarah.

Nous allons de plus en plus loin, et c'est comme cela, tout à fait par hasard, que je me retrouve dans ma rue, dans la rue où j'habitais avec mes parents.

Je n'en parle pas à Antonia, ni à personne d'autre. Mais chaque jour, je m'arrange pour passer devant la maison aux volets verts, je m'y arrête un moment et je pleure. Sarah pleure avec moi.

La maison est abandonnée. Les volets sont fermés, la cheminée ne fume pas. Le jardin de devant est envahi par les mauvaises herbes ; derrière, dans la cour, les noix sont certainement tombées de l'arbre, et personne ne les a ramassées.

Un soir, quand Sarah dort, je sors de la maison. Je cours par les rues, sans bruit, dans la nuit totale. A cause de la guerre, les lumières de la ville sont éteintes, les fenêtres des maisons sont obscurcies avec soin. La lumière des étoiles me suffit, toutes les rues, tous les passages sont gravés dans ma tête.

J'escalade la barrière, je contourne la maison, je vais m'asseoir au pied du noyer. Mes mains touchent dans l'herbe des noix dures et sèches. J'en remplis mes poches. Le lendemain j'y retourne avec un sac, et je ramasse autant de noix que je peux en porter. En voyant le sac de noix dans la cuisine, Antonia me demande :

– D'où viennent ces noix ?

Je dis :

– De notre jardin.

– Quel jardin ? Nous n'avons pas de jardin.

– Du jardin de la maison où j'habitais avant.

Antonia me prend sur ses genoux :

– Comment l'as-tu retrouvée ? Comment se fait-il que tu t'en souviennes ? Tu n'avais que quatre ans à l'époque.

Je dis :

– Maintenant, j'en ai huit. Dites-moi, Antonia, ce qui s'est passé. Dites-moi où ils sont tous. Que sont-ils devenus ? Père, Mère et Lucas ?

Antonia pleure et elle me serre très fort contre elle :

– J'espérais que tu oublierais tout. Je ne t'en ai jamais parlé pour que tu oublies tout cela.

Je dis :

– Je n'ai rien oublié. Chaque soir, quand je regarde le ciel, je pense à eux. Ils sont tous là-haut, n'est-ce pas ? Ils sont tous morts.

Antonia dit :

– Non, pas tous. Seulement ton père. Oui, ton père est mort.

– Et ma mère, où est-elle ?

– Dans un hôpital.

– Et mon frère Lucas ?

– Dans une maison de rééducation. Dans la ville de S., près de la frontière.

– Que lui est-il arrivé ?

– Une balle l'a atteint, par ricochet.

– Quelle balle ?

Antonia me repousse, elle se lève :

– Laisse-moi, Klaus, je t'en prie, laisse-moi.

Elle va dans la chambre, elle se couche sur le lit, elle continue à sangloter. Sarah se met à pleurer, elle aussi.

Je la prends dans mes bras, je m'assieds au bord du lit d'Antonia.

– Ne pleurez pas, Antonia. Dites-moi tout. Il vaut mieux que je sache tout. Je suis assez grand maintenant pour savoir la vérité. Se poser des questions, c'est encore pire que de tout savoir.

Antonia prend Sarah, la couche à côté d'elle et me dit :

– Couche-toi de l'autre côté, endormons-la. Elle ne doit pas entendre ce que je vais te dire.

Nous restons couchés sur le grand lit, tous les trois, un long moment en silence. Antonia caresse tantôt les cheveux de Sarah, tantôt les miens. Quand nous entendons la respiration régulière de Sarah, nous savons qu'elle s'est endormie. Antonia commence à parler en regardant le plafond. Elle dit comment ma mère a tué mon père.

Je dis :

– Je me souviens des coups de feu et des ambulances. Et de Lucas. Mère a tiré aussi sur Lucas ?

– Non, Lucas a été blessé par une balle perdue. La balle l'a atteint près de la colonne vertébrale. Il est resté inconscient pendant des mois, et l'on croyait qu'il demeurerait infirme. Maintenant, on a l'espoir de le guérir complètement.

Je demande :

– Mère est-elle aussi dans la ville de S. comme Lucas ?

Antonia dit :

– Non, ta mère est ici, dans cette ville. Dans un hôpital psychiatrique.

Je demande :

– Psychiatrique ? Qu'est-ce que ça veut dire ? Elle est malade ou elle est folle ?

Antonia dit :

– La folie est une maladie comme une autre.

– Puis-je aller la voir ?

– Je ne sais pas. Il ne le faut pas. C'est trop triste.

Je réfléchis un moment, puis je demande :

– Pourquoi ma mère est devenue folle ? Pourquoi elle a tué mon père ?

Antonia dit :

– Parce que ton père m'aimait. Il nous aimait, Sarah et moi.

Je dis :

– Sarah n'était pas encore née. Donc, c'est à cause de vous. Tout cela est arrivé à cause de vous. Sans vous, le bonheur dans la maison aux volets verts aurait continué même pendant la guerre, et même après la guerre. Sans vous, mon père ne serait pas mort, ma mère ne serait pas folle, mon frère ne serait pas infirme, et moi je ne serais pas seul.

Antonia se tait. Je sors de la chambre.

Je vais à la cuisine, je prends l'argent qu'Antonia a préparé pour les courses. Elle laisse tous les soirs l'argent nécessaire pour les courses du lendemain sur la table de la cuisine. Elle ne me demande jamais de comptes.

Je sors de la maison. Je marche jusqu'à une grande rue large où circulent des bus et des tramways. Je demande à une vieille femme qui attend le bus au coin de la rue :

– S'il vous plaît, madame, quel bus faut-il prendre pour aller à la gare ?

Elle demande :

– A quelle gare, mon petit ? Il y en a trois.

– La gare la plus proche.

– Prends le tramway numéro cinq, ensuite le bus numéro trois. Le contrôleur t'indiquera où tu dois changer.

J'arrive dans une gare immense, pleine de monde. Les gens se bousculent, crient, jurent. Je me mets dans la queue qui attend devant un guichet. Nous avançons lentement. Quand, enfin, c'est mon tour, je dis :

– Un billet pour la ville de S.

L'employé me dit :

– Le train pour S. ne part pas d'ici. Tu dois aller à la gare du Sud.

Je reprends des bus et des tramways. Il fait nuit quand j'arrive à la gare du Sud, et il n'y a plus de train pour S. jusqu'à demain matin. Je vais dans la salle d'attente, je trouve une place sur un banc. Il y a beaucoup de monde, cela sent mauvais, et la fumée des pipes et des cigarettes me pique les yeux. J'essaie de dormir, mais dès que je ferme les yeux, je vois Sarah seule dans la chambre, Sarah qui vient dans la cuisine, Sarah qui pleure parce que je ne suis pas là. Elle est seule toute la nuit, car Antonia est obligée de partir pour son travail, et moi, je suis assis dans une salle d'attente pour partir dans une autre ville, dans la ville où vit mon frère Lucas.

Je veux aller dans la ville où vit mon frère, je veux retrouver mon frère, ensuite nous irons ensemble retrouver notre mère. Demain matin, je partirai dans la ville de S. Je partirai.

Je ne peux pas dormir. Je trouve dans mes poches des cartes de rationnement, sans ces cartes Antonia et Sarah n'auront rien à manger.

Il faut que je rentre.

Je cours. Mes chaussures de gymnastique ne font pas de bruit. Le matin, je suis près de chez nous, je fais la queue pour le pain, puis pour le lait, je rentre.

Antonia est assise dans la cuisine. Elle me prend dans ses bras :

– Où étais-tu ? Nous avons pleuré toute la nuit, Sarah et moi. Il ne faut plus que tu nous laisses seules.

Je dis :

– Je ne vais plus vous laisser seules. Voici le pain et le lait. Il manque un peu d'argent. Je suis allé à la gare. Et à une autre gare. Je voulais aller dans la ville de S.

Antonia dit :
– Nous irons bientôt là-bas, ensemble. Nous retrouverons ton frère.
Je dis :
– Je voudrais aussi aller voir ma mère.

Un dimanche après-midi, nous allons à l'hôpital psychiatrique. Antonia et Sarah restent à la réception. Une infirmière me conduit dans un petit salon, meublé d'une table et de quelques fauteuils. Devant la fenêtre, il y a un guéridon avec des plantes vertes. Je m'assieds, j'attends.

L'infirmière revient, tenant par le bras une femme en robe de chambre qu'elle aide à s'asseoir dans un des fauteuils.

– Dis bonjour à ta maman, Klaus.

Je regarde la femme. Elle est grosse et vieille. Ses cheveux, à moitié gris, sont coiffés en arrière et attachés derrière la nuque par un bout de laine. Je vois cela quand elle se retourne pour regarder longuement la porte fermée. Ensuite, elle demande à l'infirmière :

– Et Lucas ? Où est-il ?

L'infirmière répond :

– Lucas n'a pas pu venir, mais voici Klaus. Dis bonjour à ta maman, Klaus.

Je dis :

– Bonjour, maman.

Elle demande :

– Pourquoi es-tu seul ? Pourquoi Lucas n'est pas avec toi ?

L'infirmière dit :

– Lucas viendra aussi, bientôt.

Mère me regarde. De grosses larmes commencent à couler de ses yeux bleu pâle. Elle dit :

– Des mensonges. Toujours des mensonges.

Son nez coule. L'infirmière la mouche. Mère laisse tomber sa tête sur la poitrine, elle ne dit plus rien, elle ne me regarde plus.

L'infirmière dit :

– Nous sommes fatiguée. Nous allons retourner au lit. Veux-tu embrasser ta maman, Klaus ?

Je secoue la tête, je me lève.

L'infirmière dit :

– Tu peux retrouver la réception tout seul, n'est-ce pas ?

Je ne dis rien, je sors de la chambre. Je passe devant Antonia et Sarah sans rien dire, je sors du bâtiment, j'attends devant la porte. Antonia me prend par l'épaule et Sarah me prend la main, mais je me dégage, et je mets mes mains dans les poches. Nous marchons sans parler jusqu'à l'arrêt du bus.

Le soir, avant qu'Antonia parte au travail, je lui dis :

– La femme que j'ai vue n'est pas ma mère. Je n'irai plus la voir. C'est vous qui devez aller la voir, pour vous rendre compte de ce que vous en avez fait.

Elle demande :

– Tu ne pourras jamais me pardonner, Klaus ?

Je ne réponds pas. Elle ajoute :

– Si tu savais combien je t'aime.

Je dis :

– Vous ne devriez pas. Vous n'êtes pas ma mère. C'est ma mère qui devrait m'aimer, mais elle n'aime que Lucas. Par votre faute.

Le front s'approche. La ville est bombardée jour et nuit. Nous passons beaucoup de temps dans la cave. Nous y avons installé des matelas et des couvertures. Nos voisins y viennent aussi au début, mais un jour ils disparaissent. Antonia dit qu'ils ont été déportés.

Antonia n'a plus de travail. Le cabaret où elle chantait n'existe plus. L'école est fermée. Il est très difficile d'obtenir de la nourriture, même avec les cartes de rationnement. Heureusement, Antonia a un ami qui vient parfois et qui nous apporte du pain, du lait en poudre, des biscuits et du chocolat. Le soir, l'ami reste chez nous parce qu'il ne peut pas rentrer chez lui à cause du couvre-feu. Ces nuits-là, Sarah dort avec moi dans la cuisine. Je la berce, je lui parle de Lucas que nous retrouverons bientôt, et nous nous endormons en regardant les étoiles.

Un matin, Antonia nous réveille tôt. Elle nous dit de nous habiller chaudement, de mettre plusieurs chemises et des pull-overs, nos manteaux et plusieurs paires de chaussettes, car nous allons faire un long voyage. Avec le reste de nos habits elle remplit deux valises.

L'ami d'Antonia vient nous chercher avec une voiture. Nous mettons les valises dans le coffre, Antonia s'assied devant, Sarah et moi à l'arrière.

La voiture s'arrête presque en face de mon ancienne maison, à l'entrée d'un cimetière. L'ami reste dans la voiture, Antonia marche vite en nous tirant par la main, Sarah et moi.

Nous nous arrêtons devant une tombe avec une croix de bois où est écrit le nom de mon père avec un prénom double, mon prénom et celui de mon frère : Klaus-Lucas T.

Sur la tombe, entre plusieurs bouquets fanés, il y en a un, presque frais, un bouquet d'œillets blancs.

Je dis à Antonia :

– Des œillets, ma mère en plantait partout dans le jardin. C'étaient les fleurs préférées de mon père.

Antonia dit :

– Je le sais. Dites au revoir à votre père, les enfants.

Sarah dit gentiment :

– Au revoir, Père.

Je dis :

– Ce n'était pas le père de Sarah. Il était seulement notre père à nous, Lucas et moi.

Antonia dit :

– Je t'ai déjà expliqué cela. Tu n'as pas compris ? Tant pis. Venez, nous n'avons pas de temps à perdre.

Nous retournons dans la voiture, elle nous conduit à la gare du Sud. Antonia dit merci et au revoir à son ami.

Nous faisons la queue devant le guichet. C'est seulement à ce moment-là que j'ose demander à Antonia :

– Où allons-nous ?

Elle dit :

– Chez mes parents. Mais d'abord on va s'arrêter dans la ville de S. pour prendre avec nous ton frère Lucas.

Je prends sa main, je l'embrasse :

– Merci, Antonia.

Elle retire sa main :

– Ne me remercie pas. J'ai juste le nom de la ville, et le nom de la maison de rééducation, je n'en sais pas plus.

Quand Antonia paie les billets, je me rends compte que je n'aurais pas pu payer mon voyage dans la ville de S. avec l'argent du ménage.

Le voyage est inconfortable. Il y a trop de monde, les gens fuient le front. Nous n'avons qu'une place assise pour nous trois, celui qui s'assied prend Sarah sur ses genoux, l'autre reste debout. Nous échangeons la place assise plusieurs fois pendant le voyage qui devrait durer cinq heures, mais qui dure près de douze heures à cause des alertes. Le train s'arrête en rase campagne, les voyageurs en sortent et se couchent dans les champs. En général, quand cela arrive, j'étends mon manteau par terre, je couche Sarah dessus, et je me couche sur elle pour la protéger des balles, des éclats et des projectiles.

Tard dans la soirée, nous arrivons dans la ville de S. Nous prenons une chambre dans un hôtel. Sarah et moi nous nous couchons tout de suite dans le grand lit, Antonia redescend au bar pour demander des renseignements, et elle ne revient que le matin.

Maintenant, elle a l'adresse du Centre où devrait se trouver Lucas. Nous y allons le lendemain.

C'est un bâtiment situé dans un parc. La moitié en est détruite. Il est vide. Nous voyons des pans de murs noircis par la fumée.

Il y a trois semaines que le Centre a été bombardé.

Antonia fait des recherches. Elle questionne les autorités locales, elle essaie de trouver des survivants du Centre. Elle trouve l'adresse de la directrice. Nous allons chez elle.

Elle dit :

– Je me souviens très bien du petit Lucas. C'était le plus mauvais sujet de la maison. Toujours à ennuyer, à embêter tout le monde. Un enfant vraiment insupportable, incorrigible. Personne n'est jamais venu le voir, personne ne s'intéressait à lui. Si je me souviens bien, il s'agissait d'un drame familial. Je ne puis vous en dire plus.

Antonia insiste :

– Après le bombardement, l'avez-vous revu ?

La directrice dit :

– Moi-même, j'ai été blessée dans ce bombardement, mais personne ne s'intéresse à moi. Beaucoup de gens viennent me parler, me poser des questions au sujet de leur enfant. Personne ne s'intéresse à moi. Pourtant, j'ai fait deux semaines d'hôpital après ce bombardement. Le choc, vous comprenez ? J'étais responsable de tous ces enfants.

Antonia demande encore :

– Réfléchissez. Que savez-vous de Lucas ? Après le bombardement, avez-vous revu Lucas ? Qu'a-t-on fait des enfants survivants ?

La directrice dit :

– Je ne l'ai pas revu. Je vous le répète, j'étais atteinte moi-même. Les enfants, on les a renvoyés chez eux, ceux qui étaient vivants. Les morts, on les a enterrés dans le cimetière de la ville. Ceux qui n'étaient pas morts et dont on ne connaissait pas l'adresse, on les a répartis. Dans les villages, dans les fermes, dans les petites villes. Tous ces gens devraient rendre l'enfant une fois la guerre finie.

Antonia consulte la liste des morts de la ville.

Elle me dit :

– Lucas n'est pas mort. On le retrouvera.

Nous reprenons le train. Nous arrivons dans une petite gare, nous marchons jusqu'au centre de la ville. Antonia porte Sarah endormie dans ses bras, moi, je porte les valises.

Place Principale, nous nous arrêtons. Antonia sonne,

une vieille femme ouvre la porte. Cette vieille femme, je la connais déjà. C'est la mère d'Antonia. Elle dit :

– Dieu soit loué ! Vous êtes sains et saufs. J'avais terriblement peur. Je n'ai pas arrêté de prier pour vous.

Elle prend mon visage dans ses mains :

– Et tu es venu avec eux ?

Je dis :

– Je n'ai pas pu faire autrement. Il faut que je m'occupe de Sarah.

– Bien sûr, tu dois t'occuper de Sarah.

Elle me serre contre elle, elle m'embrasse, puis elle prend Sarah dans ses bras :

– Ce que tu es belle, ce que tu es grande.

Sarah dit :

– J'ai sommeil. Je veux dormir avec Klaus.

On nous couche dans la même chambre, la chambre où avait dormi Antonia quand elle était enfant.

Sarah appelle les parents d'Antonia Grand-Mère et Grand-Père, moi je les appelle tante Mathilda et oncle Andréas. Oncle Andréas est pasteur, et il n'est pas mobilisé, à cause d'une maladie. Sa tête tremble tout le temps, comme s'il disait constamment « non ».

Oncle Andréas m'emmène en promenade par les rues de la petite ville, parfois jusqu'à la tombée de la nuit. Il dit :

– J'ai toujours souhaité avoir un garçon. Un garçon aurait compris mon amour pour cette ville. Il aurait compris la beauté de ces rues, de ces maisons, de ce ciel. Oui, la beauté de ce ciel que l'on ne retrouve nulle part ailleurs. Regarde. Il n'y a pas de nom pour les couleurs de ce ciel-là.

Je dis :

– C'est comme dans un rêve.

– Un rêve, oui. Je n'ai eu qu'une fille. Elle est partie

tôt, très jeune. Elle est revenue avec une petite fille et avec toi. Tu n'es pas son fils, tu n'es pas mon petit-fils, mais tu es le garçon que j'attendais.

Je dis :

– Mais je dois retourner auprès de ma mère quand elle sera guérie, je dois aussi retrouver mon frère Lucas.

– Oui, bien sûr. J'espère que tu les retrouveras. Mais si tu ne les retrouves pas, tu peux rester définitivement chez nous. Tu peux faire des études et choisir le métier qui te convient. Que voudrais-tu faire quand tu seras grand ?

– J'aimerais épouser Sarah.

L'oncle Andréas rit :

– Tu ne peux pas épouser Sarah. Vous êtes frère et sœur. Le mariage entre vous est impossible. Il est interdit par la loi.

Je dis :

– Alors, je vais seulement habiter avec elle. Personne ne peut m'interdire de continuer à habiter avec elle.

– Tu rencontreras beaucoup d'autres jeunes filles que tu auras envie d'épouser.

Je dis :

– Je ne le pense pas.

Bientôt, il devient dangereux de se promener dans les rues, et le soir il est interdit de sortir. Que faire pendant les alertes et les bombardements ? Dans la journée je donne des leçons à Sarah. Je lui apprends à lire et à écrire, je lui fais faire des exercices de calcul. Il y a beaucoup de livres dans la maison, on retrouve même les livres d'enfant et les livres de classe d'Antonia dans le galetas.

Oncle Andréas m'apprend à jouer aux échecs. Quand les femmes vont au lit, nous commençons une partie, et nous jouons tard dans la nuit.

Au début, oncle Andréas gagne toujours. Quand il commence à perdre, il perd aussi le goût du jeu.

Il me dit :

– Tu es trop fort pour moi, mon garçon. Je n'ai plus envie de jouer. Je n'ai envie de rien, toutes mes envies me quittent. Je ne fais même plus de rêves intéressants, je ne fais que des rêves banals.

J'essaie d'apprendre à jouer aux échecs à Sarah, mais elle n'aime pas ça. Elle se fatigue, elle s'énerve, elle préfère les jeux de société plus simples, et par-dessus tout que je lui lise des histoires, n'importe quelle histoire, même une histoire déjà vingt fois lue.

Quand la guerre s'éloigne dans l'autre pays, Antonia dit :

– Nous pouvons retourner dans la capitale, chez nous.

Sa mère dit :

– Vous allez mourir de faim. Laisse Sarah ici pendant un certain temps. Au moins jusqu'à ce que tu trouves du travail et un logement décent.

Oncle Andréas dit :

– Laisse aussi le garçon chez nous. Il y a de bonnes écoles dans notre ville. Quand on retrouvera son frère, on le prendra avec nous, lui aussi.

Je dis :

– Je dois retourner dans la capitale pour savoir ce qu'est devenue ma mère.

Sarah dit :

– Si Klaus retourne dans la capitale, j'y retourne moi aussi.

Antonia dit :

– Je pars seule. Dès que j'aurai trouvé un appartement, je viendrai vous chercher.

Elle embrasse Sarah, puis moi. Elle me dit à l'oreille :

– Je sais que tu t'occuperas d'elle. J'ai confiance en toi.

Antonia s'en va, nous restons chez tante Mathilda et oncle Andréas. Nous sommes propres et bien nourris, mais nous ne pouvons pas sortir de la maison à cause des militaires étrangers et du désordre qui règne. Tante Mathilda a peur qu'il nous arrive quelque chose.

Nous avons chacun une chambre, à présent. Sarah dort dans la chambre qui avait été celle de sa mère ; moi, je dors dans la chambre d'amis.

Le soir, je tire une chaise devant la fenêtre, je regarde la place. Elle est presque vide. Seuls quelques ivrognes et quelques militaires y circulent. Parfois un enfant, plus jeune que moi il me semble, un enfant claudicant traverse la place. Il joue un air de son harmonica, il entre dans un bistrot, il en sort, il entre dans un autre. Vers minuit, quand tous les bistrots ferment, l'enfant s'éloigne vers l'ouest de la ville jouant toujours de son harmonica.

Un soir, je montre l'enfant à l'harmonica à l'oncle Andréas :

– Pourquoi à lui il n'est pas interdit de sortir tard dans la nuit ?

Oncle Andréas dit :

– Je l'observe depuis une année. Il habite chez sa

grand-mère au bout de la ville. C'est une femme extrêmement pauvre. L'enfant est sans doute orphelin. Il a l'habitude de jouer dans les bistrots pour gagner un peu d'argent. Les gens ont l'habitude de le voir parmi eux. Personne ne lui ferait de mal. Il est sous la protection de toute la ville, et sous la protection de Dieu.

Je dis :

– Il doit être heureux.

L'oncle dit :

– Certainement.

Trois mois plus tard, Antonia vient nous chercher. Tante Mathilda et oncle Andréas ne veulent pas nous laisser partir.

Tante dit :

– Laisse encore la petite. Elle est heureuse ici, et elle ne manque de rien.

Oncle Andréas dit :

– Laisse au moins le garçon. Maintenant que les choses s'arrangent, on pourrait commencer les recherches au sujet de son frère.

Antonia dit :

– Vous pouvez commencer les recherches sans lui, Père. Je les prends, tous les deux, leur place est avec moi.

Dans la capitale, nous avons maintenant un grand appartement de quatre pièces. En plus des chambres, il y a un salon et une salle de bains.

Le soir de notre arrivée, je raconte une histoire à Sarah, je caresse ses cheveux jusqu'à ce qu'elle s'endorme. J'entends Antonia et son ami qui parlent dans le salon.

Je chausse mes chaussures de gymnastique, je descends l'escalier, je cours à travers les rues connues. Les rues, les ruelles, les passages sont éclairés maintenant, il n'y a plus de guerre, il n'y a plus d'obscurcissement, de couvre-feu.

Je m'arrête devant ma maison, la lumière est allumée dans la cuisine. Je pense d'abord que des étrangers sont venus habiter là. La lumière s'allume aussi dans le salon. C'est l'été, les fenêtres sont ouvertes. Je m'approche. Quelqu'un parle, c'est une voix d'homme. Prudemment, je regarde par la fenêtre. Ma mère, assise dans un fauteuil, écoute la radio.

Pendant une semaine, plusieurs fois par jour, je vais observer ma mère. Elle vaque à ses occupations allant d'une chambre à l'autre, se tenant généralement dans la cuisine. Elle s'occupe aussi du jardin, elle plante et arrose des fleurs. Le soir, elle lit longtemps dans la chambre des parents dont la fenêtre donne sur la cour. Tous les deux jours, une infirmière arrive à bicyclette, elle reste environ vingt minutes, bavarde avec Mère, lui prend la tension, parfois elle lui fait une piqûre.

Une fois par jour, le matin, une jeune fille vient avec un panier chargé et s'en va avec le panier vide. Et moi, je continue à faire les courses pour Antonia qui est pourtant tout à fait capable de les faire, et qui a même un ami pour l'aider.

Mère a maigri. Elle n'a plus l'air d'une vieille femme négligée comme quand je l'avais vue à l'hôpital. Son visage a repris sa douceur d'autrefois, ses cheveux ont repris leur couleur et leur brillance. Ils sont coiffés en un chignon épais et roux.

Un matin, Sarah me demande :

– Où vas-tu Klaus ? Où t'en vas-tu si souvent ? Même la nuit. Je suis venue dans ta chambre cette nuit, parce que j'ai fait un cauchemar. Tu n'étais pas là, et j'avais très peur.

– Pourquoi ne vas-tu pas dans la chambre d'Antonia quand tu as peur ?

– Je ne veux pas y aller. A cause de son ami. Il dort chez nous presque toutes les nuits. Où vas-tu, Klaus, si souvent ?

– Je vais me promener, simplement. Me promener dans les rues.

Sarah dit :

– Tu vas te promener devant la maison vide, tu vas pleurer devant ta maison vide, n'est-ce pas ? Pourquoi ne me prends-tu plus avec toi ?

Je lui dis :

– La maison n'est plus vide, Sarah. Ma mère est revenue. Elle habite de nouveau notre maison, et je dois y retourner moi aussi.

Sarah commence à pleurer :

– Tu vas habiter avec ta mère ? Tu n'habiteras plus avec nous ? Qu'est-ce que je ferai sans toi, Klaus ?

Je l'embrasse sur les yeux :

– Et moi ? Qu'est-ce que je ferai sans toi, Sarah ?

Nous pleurons tous les deux, nous nous enlaçons, couchés sur le divan du salon. Nous nous serrons de plus en plus fort, nous nous accrochons l'un à l'autre par les bras, par les jambes. Les larmes coulent sur notre visage, dans nos cheveux, dans notre cou, dans nos oreilles. Nous sommes secoués de sanglots, de tremblements, de froid.

Je sens mon pantalon se mouiller entre mes jambes.

– Qu'est-ce que vous faites ? Qu'est-ce qui se passe ?

Antonia nous sépare, elle nous pousse loin l'un de l'autre, elle s'assied entre nous, elle me secoue par les épaules :

– Qu'as-tu fait ?

Je crie :

– Je n'ai fait aucun mal à Sarah.

Antonia prend Sarah dans ses bras :

– Grand Dieu. J'aurais dû pourtant m'attendre à ça.

Sarah dit :

– Je crois que j'ai fait pipi dans ma culotte.

Elle enlace le cou de sa mère :

– Maman, maman ! Klaus va habiter avec sa mère.

Antonia bégaie :

– Quoi ? Quoi ?

Je dis :

– Oui, Antonia, mon devoir est de vivre avec elle.

Antonia crie :

– Non !

Puis, elle dit :

– Oui, tu dois retourner chez ta mère.

Le lendemain matin, Antonia et Sarah m'accompagnent. Nous nous arrêtons au coin de la rue, de ma rue. Antonia m'embrasse, elle me tend une clé :

– Voici la clé de l'appartement. Tu peux continuer à y venir quand tu le veux. Je garderai ta chambre.

Je dis :

– Merci, Antonia. Je viendrai vous voir aussi souvent que possible.

Sarah ne dit rien. Elle est pâle, elle a les yeux rouges. Elle regarde le ciel. Le ciel bleu sans nuages d'un matin d'été. Moi, je regarde Sarah, cette petite fille de sept ans, mon premier amour. Je n'en aurai pas d'autre.

Je m'arrête en face de la maison, de l'autre côté de la rue. Je pose ma valise, je m'assieds dessus. Je vois la jeune fille arriver avec son panier, puis s'en aller. Je reste assis, je n'ai pas la force de me lever. Vers midi, je commence à avoir faim, j'ai le vertige, j'ai mal à l'estomac.

Dans l'après-midi, l'infirmière arrive à bicyclette. Je traverse la rue en courant avec ma valise, j'attrape l'infirmière par le bras avant qu'elle n'entre dans le jardin :

– Madame, s'il vous plaît, madame. Je vous attendais.

Elle demande :

– Qu'est-ce que tu as ? Tu es malade ?

Je dis :

– Non, j'ai peur. J'ai peur d'entrer dans la maison.

– Pourquoi veux-tu entrer dans la maison ?

– C'est ici, c'est ma maison, ma mère. J'ai peur de ma mère, je ne l'ai pas vue depuis sept ans.

Je bégaie et je tremble. L'infirmière dit :

– Calme-toi. Tu dois être Klaus. Ou bien Lucas ?

– Je suis Klaus. Lucas n'est pas là. Je ne sais pas où il est. Personne ne le sait. C'est pourquoi j'ai peur de voir ma mère. Tout seul. Sans Lucas.

Elle dit :

– Oui, je comprends. Tu as bien fait de m'attendre. Ta mère s'imagine qu'elle a tué Lucas. Nous allons entrer ensemble. Suis-moi.

L'infirmière sonne, ma mère crie de la cuisine :

– Entrez. C'est ouvert.

Nous traversons la véranda, nous nous arrêtons dans le salon. L'infirmière dit :

– J'ai une grande surprise pour vous.

Ma mère apparaît à la porte de la cuisine. Elle essuie ses mains dans son tablier, elle me regarde avec des yeux écarquillés, elle chuchote :

– Lucas ?

L'infirmière dit :

– Non, c'est Klaus. Mais Lucas reviendra certainement, lui aussi.

Mère dit :

– Non, Lucas ne reviendra pas. Je l'ai tué. J'ai tué mon petit garçon, il ne reviendra plus jamais.

Mère s'assied dans un des fauteuils du salon, elle tremble. L'infirmière remonte la manche de la robe de Mère, elle lui fait une piqûre. Ma mère se laisse faire. L'infirmière dit :

– Lucas n'est pas mort. Il a été transféré dans un Centre de réadaptation, je vous l'ai déjà dit.

Je dis :

– Oui, un Centre dans la ville de S. Je suis allé à sa recherche. Le Centre a été détruit par des bombardements, mais Lucas ne se trouve pas sur la liste des morts.

Mère demande tout bas :

– Tu ne mens pas, Klaus ?

– Non, Mère, je ne mens pas.

L'infirmière dit :

– Ce qui est sûr, c'est que vous ne l'avez pas tué.

Mère est à présent calmée. Elle dit :

– Il faut que nous allions là-bas. Avec qui y es-tu allé, Klaus ?

– Avec une dame de l'orphelinat. Elle m'a accompagné. Elle avait de la famille près de la ville de S.

Mère dit :

– Orphelinat ? On m'a dit que tu avais été placé dans une famille. Une famille qui s'occupait très bien de toi. Il faut que tu me donnes leur adresse, je vais les remercier.

Je recommence à bégayer :

– Je ne connais pas leur adresse. Je n'y suis resté que peu de temps. Parce que, parce qu'ils ont été déportés. Ensuite, je suis allé dans un orphelinat. Je ne manquais de rien, et tout le monde a été très gentil avec moi.

L'infirmière dit :

– Je m'en vais. J'ai encore beaucoup à faire. Veux-tu m'accompagner, Klaus ?

Je l'accompagne devant la maison. Elle me demande :

– Où as-tu passé ces sept ans, Klaus ?

Je lui dis :

– Vous avez entendu ce que j'ai dit à ma mère.

Elle dit :

– Oui, j'ai entendu. Seulement, ce n'est pas la vérité. Tu mens très mal, mon petit. Nous avons fait des recherches dans les orphelinats, tu n'étais dans aucun.

Et comment as-tu retrouvé la maison ? Comment as-tu su que ta mère était rentrée ?

Je me tais. Elle dit :

– Tu peux garder ton secret. Tu as certainement une raison pour cela. Mais n'oublie pas que je soigne ta mère depuis des années. Plus j'en saurai sur elle, plus je pourrai l'aider. Tu débarques tout à coup avec ta valise, j'ai le droit de te demander d'où tu viens.

Je dis :

– Non, vous n'en avez pas le droit. Je suis là, c'est tout. Dites-moi comment agir envers ma mère.

Elle dit :

– Agis comme bon te semble. Si possible, sois patient. Si elle a une crise, tu me téléphones.

– Une crise, c'est comment ?

– N'aie pas peur. Ce ne sera pas pire qu'aujourd'hui. Elle crie, elle tremble, c'est tout. Tiens, voici mon numéro de téléphone. Si cela ne va pas, tu m'appelles.

Mère dort dans un des fauteuils du salon. Je prends ma valise et je vais m'installer dans la chambre des enfants, au bout du couloir. Il y a toujours les deux lits, des lits pour adultes que nos parents avaient achetés juste avant « la chose ». Je n'ai pas encore trouvé le mot pour qualifier ce qui nous est arrivé. Je pourrais dire drame, tragédie, catastrophe, mais dans ma tête j'appelle cela simplement « la chose » pour laquelle il n'y a pas de mot.

La chambre des enfants est propre, les lits aussi. On voit que Mère nous attendait. Mais celui qu'elle attend le plus, c'est mon frère Lucas.

Nous mangeons dans la cuisine en silence quand, brusquement, Mère dit :

– Je ne regrette pas du tout d'avoir tué ton père. Si je connaissais la femme pour qui il voulait nous quitter, je la tuerais, elle aussi. Si j'ai blessé Lucas, c'est de sa faute, tout est de sa faute à elle, pas la mienne.

Je dis :

– Mère, ne te tourmente pas. Lucas n'est pas mort de sa blessure, il reviendra.

Mère demande :

– Comment pourrait-il retrouver la maison ?

Je dis :

– Comme moi. Si je l'ai retrouvée, il la retrouvera, lui aussi.

Mère dit :

– Tu as raison. Il ne faut surtout pas que nous partions d'ici. C'est ici qu'il nous cherchera.

Mère prend des médicaments pour dormir, elle se couche très tôt. Au cours de la nuit, je vais la voir dans sa chambre. Elle dort sur le dos au bord du grand lit, le visage tourné vers la fenêtre, laissant vide la place qui était celle de son mari.

Je dors très peu. Je regarde les étoiles et, comme chez Antonia, je pensais tous les soirs à ma famille et à notre maison, ici, pareillement, je pense à Sarah et à sa famille, à ses grands-parents dans la ville de K.

A mon réveil, je retrouve les branches du noyer devant ma fenêtre. Je vais dans la cuisine, j'embrasse Mère. Elle me sourit. Il y a du café et du thé. La jeune fille apporte du pain frais. Je lui dis qu'elle n'a plus besoin de venir, que je ferai les courses moi-même.

Mère dit :

– Non, Véronique. Continuez à venir. Klaus est encore trop petit pour les courses.

Véronique rit :

– Il n'est pas si petit que ça. Mais il ne trouverait pas ce qu'il faut dans les magasins. Je travaille à la cuisine de l'hôpital, c'est là que je trouve ce que j'apporte ici, comprends-tu, Klaus ? A l'orphelinat, vous étiez gâtés pour la nourriture. Tu ne peux pas t'imaginer ce qu'il faut faire pour trouver à manger en ville. Tu passerais ton temps à faire la queue devant les magasins.

Mère et Véronique s'amusent bien ensemble. Elles rient et elles s'embrassent. Véronique raconte ses histoires d'amour. Des histoires stupides : « Alors, il m'a dit, alors je lui ai dit, alors il a essayé de m'embrasser. »

Véronique aide Mère à teindre ses cheveux. Elles emploient un produit nommé henné qui redonne aux cheveux de Mère leur couleur d'autrefois. Véronique soigne aussi le visage de Mère. Elle lui fait des « masques », elle la maquille à l'aide de petites brosses, de tubes et de crayons.

Mère dit :

– Je veux avoir l'air convenable quand Lucas reviendra. Je ne veux pas qu'il me retrouve négligée, vieille et laide. Comprends-tu, Klaus ?

Je dis :

– Oui, je comprends, Mère. Mais tu serais aussi bien avec tes cheveux gris et sans maquillage.

Mère me donne une gifle :

– Va dans ta chambre, Klaus, ou bien va te promener. Tu m'énerves.

Elle ajoute à l'adresse de Véronique :

– Pourquoi je n'ai pas eu une fille comme vous ?

Je m'en vais. Je me promène autour de la maison où habitent Antonia et Sarah, je me promène aussi au cimetière à la recherche de la tombe de mon père. Je n'y suis venu qu'une fois avec Antonia, et le cimetière est grand.

Je rentre, j'essaie d'aider Mère dans les travaux du jardinage, mais elle me dit :

– Va jouer. Prends ta trottinette ou ton tricycle.

Je regarde Mère.

– Tu ne te rends pas compte que ce sont des jouets pour des enfants de quatre ans ?

Elle dit :

– Il y a aussi les balançoires.

– Je n'ai pas envie de me balancer non plus.

Je vais dans la cuisine, je prends un couteau et je coupe les cordes, les quatre cordes de la balançoire.

Mère dit :

– Tu aurais pu laisser au moins l'un des sièges. Cela ferait plaisir à Lucas. Tu es un enfant difficile, Klaus. Méchant même.

Je monte dans la chambre des enfants. Couché sur mon lit, j'écris des poèmes.

Il arrive que le soir Mère nous appelle :

– Lucas, Klaus, venez manger !

J'entre dans la cuisine. Mère me regarde et remet dans le buffet la troisième assiette destinée à Lucas, ou bien elle lance l'assiette dans l'évier où, naturellement, elle se casse, ou encore elle sert Lucas comme s'il était là.

Il arrive aussi que Mère vienne dans la chambre des enfants au milieu de la nuit. Elle tapote l'oreiller de Lucas, elle lui parle :

– Dors bien. Fais de beaux rêves. A demain.

Après cela, elle s'en va, mais il arrive aussi qu'elle reste plus longtemps à genoux à côté du lit, et qu'elle s'endorme, la tête posée sur l'oreiller de Lucas.

Je reste immobile dans mon lit, je respire le plus doucement possible, et quand je me réveille, le lendemain matin, Mère n'est plus là. Je touche l'oreiller dans l'autre lit, il est encore humide des larmes de Mère.

Quoi que je fasse, ce n'est jamais bien pour Mère. Qu'un petit pois tombe de mon assiette, elle dit :

– Tu n'apprendras jamais à manger proprement. Regarde Lucas, il ne salit jamais la nappe.

Si je passe une journée à désherber le jardin et que je rentre plein de boue, elle me dit :

– Tu t'es sali comme un porc. Lucas aurait fait cela proprement.

Quand Mère reçoit son argent, son peu d'argent de l'État, elle s'en va en ville, elle rentre avec des jouets coûteux qu'elle cache sous le lit de Lucas. Elle m'avertit :

– N'y touche pas. Ces jouets doivent rester à l'état neuf pour quand Lucas reviendra.

Je connais maintenant les médicaments que Mère doit prendre.

L'infirmière m'a tout expliqué.

Ainsi, quand elle ne veut pas ou qu'elle oublie de

prendre ses médicaments, je les lui administre dans son café, dans son thé, dans sa soupe.

En septembre, je recommence l'école. C'est l'école où je suis déjà allé avant la guerre. Je devrais y retrouver Sarah. Elle n'y est pas.

Après les cours, je vais sonner chez Antonia. Personne ne répond. J'ouvre la porte avec ma clé. Il n'y a personne. Je vais dans la chambre de Sarah. J'ouvre les tiroirs, les armoires, aucun cahier, aucun habit.

Je sors de la maison, je jette la clé de l'appartement devant un tramway qui passe, je rentre chez ma mère.

Fin septembre, je rencontre Antonia au cimetière. J'ai enfin trouvé la tombe. J'apporte un bouquet d'œillets blancs, les fleurs préférées de mon père. Un autre bouquet est déjà posé sur la tombe. Je pose le mien à côté de l'autre.

Sortie je ne sais d'où, Antonia me demande :

– Tu es venu chez nous ?

– Oui. La chambre de Sarah est vide. Où est-elle ?

Antonia dit :

– Chez mes parents. Il faut qu'elle t'oublie. Elle ne pensait qu'à toi, elle voulait constamment aller te retrouver. Chez ta mère, n'importe où.

Je dis :

– Moi aussi, je pense tout le temps à elle. Je ne peux pas vivre sans elle, je veux vivre avec elle, n'importe où, n'importe comment.

Antonia me prend dans ses bras :

– Vous êtes frère et sœur, n'oublie pas, Klaus. Vous ne pouvez pas vous aimer comme vous vous êtes aimés. Je n'aurais jamais dû te prendre chez nous.

Je dis :

– Frère et sœur. Quelle importance ? Personne ne le saurait. Nous portons un nom différent.

– N'insiste pas, Klaus, n'insiste pas. Oublie Sarah.

Je ne réponds rien, Antonia ajoute :

– J'attends un bébé. Je me suis remariée.

Je dis :

– Vous aimez un autre homme, vous avez une autre vie, alors pourquoi venez-vous encore ici ?

– Je ne sais pas. Peut-être à cause de toi. Tu as été mon fils pendant sept ans.

Je dis :

– Non, jamais. Je n'ai qu'une seule mère, celle avec qui je vis à présent, celle que vous avez rendue folle. Par votre faute j'ai perdu mon père, mon frère, et maintenant vous me prenez aussi ma petite sœur.

Antonia dit :

– Crois-moi, Klaus, je regrette tout cela. Je n'ai pas voulu cela. Je ne pouvais pas me douter des conséquences. J'ai sincèrement aimé ton père.

Je dis :

– Alors, vous devriez comprendre mon amour pour Sarah.

– C'est un amour impossible.

– Le vôtre l'était aussi. Vous n'aviez qu'à partir et oublier mon père avant que ne survienne « la chose ». Je ne veux plus vous rencontrer ici, Antonia. Je ne veux plus vous rencontrer devant la tombe de mon père.

Antonia dit :

– Bien, je ne viendrai plus. Mais je ne t'oublierai jamais, Klaus.

Mère a très peu d'argent. Elle reçoit une petite somme de l'État, comme invalide. Je suis une charge supplémentaire pour elle. Je dois, aussi vite que possible, trouver du travail. C'est Véronique qui me propose la distribution des journaux.

Je me lève à quatre heures du matin, je vais à l'imprimerie, je prends mon paquet de journaux, je parcours les rues qui me sont imparties, je dépose les journaux devant les portes, dans des boîtes aux lettres, sous les rideaux de fer des magasins.

Quand je rentre, Mère n'est pas encore levée. Elle ne se lève que vers neuf heures. Je prépare du café et du thé, et je vais à l'école où je prends aussi mon repas de midi. Je ne rentre que vers cinq heures du soir.

Peu à peu, l'infirmière espace ses visites. Elle me dit que Mère est guérie, elle doit seulement prendre des calmants et des somnifères.

Véronique vient aussi de moins en moins. Juste pour raconter à Mère la déception de son mariage.

A l'âge de quatorze ans, je quitte l'école. Je fais un apprentissage de typographe qui m'est offert par le journal dont j'étais le distributeur pendant trois ans. Je travaille de dix heures du soir à six heures du matin.

Gaspar, mon chef, partage son repas de nuit avec

moi. Mère ne pense pas à me préparer un repas de nuit, elle ne pense même pas à commander du charbon pour l'hiver. Elle ne pense à rien, sauf à Lucas.

A l'âge de dix-sept ans, je deviens typographe. Je gagne pas mal d'argent en comparaison des autres métiers. Je peux emmener Mère une fois par mois dans un salon de beauté où on lui fait une coloration, une permanente, une « remise en forme » pour son visage et ses mains. Elle ne veut pas que Lucas la retrouve vieille et laide.

Mère me reproche continuellement d'avoir abandonné l'école :

– Lucas aurait continué ses études. Il serait devenu médecin. Un grand médecin.

Quand notre maison délabrée laisse entrer l'eau par le toit, Mère dit :

– Lucas serait devenu architecte. Un grand architecte.

Quand je lui montre mes premiers poèmes, Mère les lit et dit :

– Lucas serait devenu écrivain. Un grand écrivain.

Mes poèmes, je ne les montre plus, je les cache.

Le bruit des machines m'aide à écrire. Il donne un rythme à mes phrases, il réveille des images dans ma tête. Quand j'ai fini de composer les pages du journal, tard dans la nuit, je compose et j'imprime mes propres textes que je signe du pseudonyme « Klaus Lucas » en souvenir de mon frère mort ou disparu.

Ce que nous imprimons dans le journal est en contradiction totale avec la réalité. Nous imprimons tous les jours cent fois la phrase : « Nous sommes libres », mais dans les rues nous voyons partout des soldats d'une armée étrangère, tout le monde sait qu'il y a de nombreux prisonniers politiques, les voyages à l'étranger sont interdits, et même à l'intérieur du pays nous ne pouvons aller dans n'importe quelle ville. Je le sais, car une fois j'ai essayé de rejoindre Sarah dans la petite ville de K. Je suis arrivé jusqu'à la ville voisine où on m'a arrêté et renvoyé dans la capitale après une nuit d'interrogatoire.

Nous imprimons cent fois par jour : « Nous vivons dans l'abondance et le bonheur », et je pense d'abord que cela est vrai pour les autres, que Mère et moi nous sommes misérables et malheureux à cause de « la chose », mais Gaspar me dit que nous ne sommes nullement une exception, que lui-même, sa femme et leurs trois enfants vivent d'une manière plus misérable que jamais.

D'ailleurs, quand je rentre du travail, tôt le matin, et que je croise les gens qui vont à leur tour travailler, je ne vois de bonheur nulle part, et encore moins de l'abondance. Quand je demande pourquoi nous imprimons tant de mensonges, Gaspar me répond :

– Ne pose surtout pas de questions. Fais ton travail et ne t'occupe de rien.

Un matin, Sarah m'attend devant l'imprimerie. Je passe devant elle sans la reconnaître. Je me retourne seulement quand j'entends mon nom :

– Klaus !

Nous nous regardons. Je suis fatigué, sale, mal rasé. Sarah est belle, fraîche, élégante. Elle a dix-huit ans maintenant. C'est elle qui parle d'abord :

– Tu ne m'embrasses pas, Klaus ?

Je dis :

– Excuse-moi, je ne me sens pas très propre.

Elle me donne un baiser sur la joue. Je demande :

– Comment as-tu su que je travaillais ici ?

– J'ai demandé à ta mère.

– A ma mère ? Tu es allée chez nous ?

– Oui, hier soir. Dès mon arrivée. Tu étais déjà parti.

Je sors mon mouchoir, j'essuie mon visage couvert de sueur :

– Tu lui as dit qui tu étais ?

– Je lui ai dit que j'étais une amie d'enfance. Elle m'a demandé : « De l'orphelinat ? », j'ai dit : « Non, de l'école. »

– Et Antonia ? Elle sait que tu es venue ?

– Non, elle ne le sait pas. Je lui ai dit que j'allais à l'université pour l'inscription.

– A six heures du matin ?

Sarah rit :

– Elle dort encore. Et c'est vrai que je vais à l'université. Un peu plus tard. On a le temps de prendre une tasse de café quelque part.

Je dis :

– J'ai sommeil. Je suis fatigué. Et je dois préparer le petit déjeuner de Mère.

Elle dit :

– Tu n'as pas l'air heureux de me revoir, Klaus.

– Quelle idée, Sarah ! Comment vont tes grands-parents ?

– Bien. Mais ils ont beaucoup vieilli. Ma mère voulait les faire venir, eux aussi, mais Grand-Père ne veut pas quitter sa petite ville. On pourrait se rencontrer souvent, si tu veux.

– A quelle faculté veux-tu t'inscrire ?

– J'aimerais faire des études de médecine. Maintenant que je suis revenue, on pourrait se voir tous les jours, Klaus.

– Tu dois avoir un frère ou une sœur. Quand j'ai vu Antonia pour la dernière fois, elle était enceinte.

– Oui, j'ai deux sœurs et un petit frère. Mais c'est de nous deux que j'aimerais parler, Klaus.

Je demande :

– Quel est le métier de ton beau-père pour pouvoir entretenir autant de monde ?

– Il est à la direction du Parti. Mais tu fais exprès de parler tout le temps d'autre chose ?

– Oui, je le fais exprès. Cela n'a aucun sens de parler de nous deux. Il n'y a rien à en dire.

Sarah dit tout bas :

– As-tu oublié combien on s'aimait ? Je ne t'ai pas oublié, Klaus.

– Moi non plus. Mais cela ne sert à rien de se revoir. Tu ne l'as pas encore compris ?

– Si. Je viens de le comprendre.

Elle fait signe à un taxi qui passe et s'en va.

Moi, je marche jusqu'à l'arrêt de l'autobus, j'attends dix minutes, et je prends le bus comme tous les matins, un autobus malodorant et bondé.

Quand j'arrive à la maison, Mère est déjà levée, contrairement à ses habitudes. Elle prend son café dans la cuisine. Elle me sourit :

– Elle est bien jolie, ta petite amie Sarah. Elle s'appelle comment ? Sarah comment ? Quel est son nom de famille ?

Je dis :

– Je ne sais pas, Mère. Elle n'est pas ma petite amie. Je ne l'avais pas vue depuis des années. Elle recherche d'anciens camarades de classe, c'est tout.

Mère dit :

– C'est tout ? C'est dommage. Il serait temps pour toi d'avoir une petite amie. Mais tu es trop empoté pour pouvoir plaire aux filles, sans doute. Surtout à ce genre de fille de bonne famille. Et avec ton métier manuel en plus. Il en serait tout autrement avec Lucas. Oui, cette Sarah est exactement la fille qui conviendrait à Lucas.

Je dis :

– Certainement, Mère. Excuse-moi, j'ai terriblement sommeil.

Je me couche et avant de m'endormir je parle dans ma tête à Lucas, comme je le fais depuis de nombreuses années. Ce que je lui dis, c'est à peu près la même chose que d'habitude. Je lui dis que, s'il est mort, il a de la chance et que j'aimerais bien être à sa place. Je lui dis qu'il a eu la meilleure part, c'est moi qui dois porter la charge la plus lourde. Je lui dis que la vie est d'une inutilité totale, elle est non-sens, aberration, souffrance infinie, l'invention d'un Non-Dieu dont la méchanceté dépasse l'entendement.

Sarah, je ne la revois plus. Parfois, il me semble la reconnaître dans la rue, mais ce n'est jamais elle.

Je passe une fois devant la maison où habitait Antonia auparavant, mais il n'y a aucun nom connu sur les boîtes aux lettres et, de toute façon, j'ignore le nom nouveau d'Antonia.

Des années plus tard, je reçois un faire-part de mariage. Sarah se marie avec un chirurgien, l'adresse des deux familles indique le quartier le plus riche, le plus élégant de la ville, appelé « la Colline des roses ».

Des « petites amies », j'en aurai beaucoup. Des filles que je rencontrerai dans les bistrots aux alentours de l'imprimerie, bistrots où j'ai pris l'habitude de passer avant et après le travail. Ces filles sont des ouvrières ou des serveuses, je les vois rarement plusieurs fois, et je n'en ramène aucune à la maison pour la présenter à Mère.

Je passe mes dimanches après-midi chez mon chef Gaspar avec sa famille. Nous jouons aux cartes en buvant des bières. Gaspar a trois enfants. L'aînée, Esther, joue avec nous, elle a presque mon âge, elle travaille dans une fabrique de textile, elle est tisserande depuis l'âge de treize ans. Les deux garçons, un peu plus jeunes, typographes aussi, sortent le dimanche après-midi. Ils vont à des matches de football, au cinéma, ils se promènent en ville. Anna, la femme de Gaspar, tisserande comme sa fille, fait la vaisselle, la lessive, prépare le repas du soir. Esther a les cheveux blonds, les yeux bleus et un visage qui rappelle le visage de Sarah. Mais elle n'est pas Sarah, elle n'est pas ma sœur, elle n'est pas ma vie.

Gaspar me dit :

– Ma fille est amoureuse de toi. Épouse-la. Je te la donne. Tu es le seul qui la mérite.

Je dis :

– Je ne veux pas me marier, Gaspar. Je dois m'occuper de ma mère et attendre Lucas.

Gaspar dit :

– Attendre Lucas ? Pauvre fou.

Il ajoute :

– Si tu ne veux pas épouser Esther, il vaut mieux que tu ne reviennes plus chez nous.

Je ne retourne plus chez Gaspar. Désormais, je passe tout mon temps libre à la maison, seul avec Mère, sauf les heures pendant lesquelles je marche sans but dans le cimetière ou dans la ville.

A l'âge de quarante-cinq ans, je deviens le chef d'une autre imprimerie qui appartient à une maison d'éditions. Je ne travaille plus la nuit, mais de huit heures du matin à six heures du soir avec deux heures de repos à midi. Ma santé est déjà gravement atteinte à cette époque. Mes poumons sont saturés de plomb, mon sang, mal oxygéné, s'empoisonne. Cela s'appelle le saturnisme, maladie des imprimeurs, des typographes. J'ai des coliques et des nausées. Le médecin me dit de boire beaucoup de lait, de prendre l'air le plus souvent possible. Je n'aime pas le lait. Je souffre aussi d'insomnies et donc d'une très grande fatigue nerveuse et physique. Après trente ans de travail nocturne, il m'est impossible de m'habituer à dormir la nuit.

Dans la nouvelle imprimerie, nous imprimons toutes sortes de textes, des poèmes, de la prose, des romans. Le directeur de la maison d'éditions vient souvent pour contrôler le travail. Un jour, il me met sous le nez mes propres poèmes qu'il a trouvés sur une étagère :

– C'est quoi ça ? De qui sont ces poèmes ? Qui est ce Klaus Lucas ?

Je bégaie, parce que, normalement, je n'ai pas le droit d'imprimer des textes personnels :

– C'est de moi. Ce sont des poèmes à moi. Je les imprime après mes heures de travail.

– Vous voulez dire que c'est vous Klaus Lucas, l'auteur de ces poèmes ?

– Oui, c'est moi.

Il demande :

– Quand les avez-vous écrits ?

Je dis :

– Ces dernières années. J'en ai écrit beaucoup d'autres, avant, quand j'étais jeune.

Il dit :

– Apportez-moi tout ce que vous avez. Venez dans mon bureau demain matin avec tout ce que vous avez écrit.

Le lendemain matin, j'entre dans le bureau du directeur avec mes poèmes. Cela fait plusieurs centaines de pages, un millier peut-être.

Le directeur soupèse le paquet :

– Tout ça ? Vous n'avez jamais essayé de les publier ?

Je dis :

– Je n'y ai jamais pensé. J'écrivais pour moi, pour m'occuper, pour m'amuser.

Le directeur rit :

– Pour vous amuser ? Vos poèmes, ce n'est pas ce qu'on peut trouver de plus amusant. En tout cas, pas ceux que j'ai déjà lus. Mais peut-être étiez-vous plus gai dans votre jeunesse ?

Je dis :

– Dans ma jeunesse, certainement pas.

Il dit :

– C'est vrai. Il n'y avait pas de quoi être gai à cette époque. Mais depuis la révolution, beaucoup de choses ont changé.

Je dis :

– Pas pour moi. Pour moi, rien n'a changé.

Il dit :

– Au moins, maintenant, nous pouvons publier vos poèmes.

Je dis :

– Si vous le pensez, si vous le croyez, publiez-les. Mais je vous prie de ne pas communiquer mon adresse, ni mon nom véritable à personne.

Lucas est revenu et il est reparti. Je l'ai renvoyé. Il m'a laissé son manuscrit inachevé. Je suis en train de le finir.

L'homme de l'ambassade ne m'a pas annoncé sa venue. Deux jours après la visite de mon frère, il sonne chez moi à neuf heures du soir. Heureusement, Mère est déjà couchée. L'homme a des cheveux frisés, il est maigre et pâle. Je le fais entrer dans mon bureau. Il dit :

– Je ne parle pas bien votre langue, ne m'en veuillez pas si je m'exprime avec brusquerie. Votre frère, c'est-à-dire votre prétendu frère, Claus T., s'est donné la mort aujourd'hui. Il s'est jeté sous un train à quatorze heures quinze à la gare de l'Est au moment où nous voulions le rapatrier dans son pays. Il a laissé à notre ambassade une lettre pour vous.

L'homme me tend une enveloppe sur laquelle est écrit : « A l'attention de Klaus T. »

J'ouvre l'enveloppe. Sur une carte de correspondance, je lis : « J'aimerais être enterré aux côtés de nos parents. » C'est signé Lucas.

Je tends la carte à l'homme de l'ambassade :

– Il veut être enterré ici.

L'homme lit la carte, il me demande :

– Pourquoi signe-t-il Lucas ? Était-il réellement votre frère ?

Je dis :

– Non. Mais il y croyait tellement que je ne peux pas lui refuser cela.

L'homme dit :

– C'est curieux. Il y a deux jours, après sa visite chez vous, nous lui avons demandé s'il avait retrouvé quelqu'un de sa famille. Il avait répondu non.

Je dis :

– C'est la vérité. Il n'y a aucun lien de parenté entre nous.

L'homme demande :

– Donnez-vous tout de même l'autorisation de l'enterrer près de vos parents ?

Je dis :

– Oui. A côté de mon père. C'est le seul mort de ma famille.

Nous suivons le corbillard, l'homme de l'ambassade et moi. Il neige. Je porte un bouquet d'œillets blancs et un autre bouquet d'œillets rouges. Je les ai achetés chez un fleuriste. Dans notre jardin, même en été, il n'y a plus d'œillets. Mère y plante toutes sortes de fleurs, sauf des œillets.

A côté de la tombe de mon père, une nouvelle tombe est creusée. On y descend le cercueil de mon frère, on y plante la croix qui porte mon nom avec une orthographe différente.

Je reviens au cimetière tous les jours. Je regarde la croix où est inscrit le nom de Claus, et je pense que je devrais la faire remplacer par une autre qui porterait le nom de Lucas.

Je pense aussi que nous serons bientôt de nouveau tous les quatre réunis. Une fois que Mère sera morte, il ne me restera plus aucune raison de continuer.

Le train, c'est une bonne idée.

GROUPE CPI

Achevé d'imprimer en septembre 2001 par
BUSSIÈRE CAMEDAN IMPRIMERIES
à Saint-Amand-Montrond (Cher)
N° d'édition : 25781-5. - N° d'impression : 014046/1.
Dépôt légal : septembre 1995.
Imprimé en France
COMPOSITION : I.G.S. CHARENTE-PHOTOGRAVURE À L'ISLE-D'ESPAGNAC

Collection Points

DERNIERS TITRES PARUS

P380. Le Polygone étoilé, *par Kateb Yacine*
P381. La Chasse au lézard, *par William Boyd*
P382. Texas (tome 1), *par James A.Michener*
P383. Texas (tome 2), *par James A.Michener*
P384. Vivons heureux en attendant la mort
par Pierre Desproges
P385. Le Fils de l'ogre, *par Henri Gougaud*
P386. La neige tombait sur les cèdres, *par David Guterson*
P387. Les Seigneurs du thé, *par Hella S. Haasse*
P388. La Fille aux yeux de Botticelli
par Herbert Lieberman
P389. Tous les hommes morts, *par Lawrence Block*
P390. La Blonde en béton, *par Michael Connelly*
P391. Palomar, *par Italo Calvino*
P392. Sous le soleil jaguar, *par Italo Calvino*
P393. Félidés, *par Akif Pirinçci*
P394. Trois Heures du matin à New York
par Herbert Lieberman
P395. La Maison près du marais, *par Herbert Lieberman*
P396. Le Médecin de Cordoue, *par Herbert Le Porrier*
P397. La Porte de Brandebourg, *par Anita Brookner*
P398. Hôtel du Lac, *par Anita Brookner*
P399. Replay, *par Ken Grimwood*
P400. Chesapeake, *par James A. Michener*
P401. Manuel de savoir-vivre à l'usage des rustres
et des malpolis, *par Pierre Desproges*
P402. Le Rêve de Lucy
par Pierre Pelot et Yves Coppens
(dessins de Liberatore)
P403. Dictionnaire superflu à l'usage de l'élite
et des bien nantis, *par Pierre Desproges*
P404. La Mamelouka, *par Robert Solé*
P405. Province, *par Jacques-Pierre Amette*
P406. L'Arbre de vies, *par Bernard Chambaz*
P407. La Vie privée du désert, *par Michel Chaillou*
P408. Trop sensibles, *par Marie Desplechin*
P409. Kennedy et moi, *par Jean-Paul Dubois*
P410. Le Cinquième Livre, *par François Rabelais*
P411. La Petite Amie imaginaire, *par John Irving*

P412. La Vie des insectes, *par Viktor Pelevine*
P413. La Décennie Mitterrand, 3. Les Défis
par Pierre Favier et Michel Martin-Roland
P414. La Grimace, *par Heinrich Böll*
P415. La Famille de Pascal Duarte, *par Camilo José Cela*
P416. Cosmicomics, *par Italo Calvino*
P417. Le Chat et la Souris, *par Günter Grass*
P418. Le Turbot, *par Günter Grass*
P419. Les Années de chien, *par Günter Grass*
P420. L'Atelier du peintre, *par Patrick Grainville*
P421. L'Orgie, la Neige, *par Patrick Grainville*
P422. Topkapi, *par Eric Ambler*
P423. Le Nouveau Désordre amoureux
par Pascal Bruckner et Alain Finkielkraut
P424. Un homme remarquable, *par Robertson Davies*
P425. Le Maître de chasse, *par Mohammed Dib*
P426. El Guanaco, *par Francisco Coloane*
P427. La Grande Bonace des Antilles, *par Italo Calvino*
P428. L'Écrivain public, *par Tahar Ben Jelloun*
P429. Indépendance, *par Richard Ford*
P430. Les Trafiquants d'armes, *par Eric Ambler*
P431. La Sentinelle du rêve, *par René de Ceccatty*
P432. Tuons et créons, c'est l'heure, *par Lawrence Block*
P433. Textes de scène, *par Pierre Desproges*
P434. François Mitterrand, *par Franz-Olivier Giesbert*
P435. L'Héritage Schirmer, *par Eric Ambler*
P436. Ewald Tragy et autres récits de jeunesse
par Rainer Maria Rilke
P437. Histoires pragoises, *par Rainer Maria Rilke*
P438. L'Admiroir, *par Anny Duperey*
P439. Une trop bruyante solitude, *par Bohumil Hrabal*
P440. Temps zéro, *par Italo Calvino*
P441. Le Masque de Dimitrios, *par Eric Ambler*
P442. La Croisière de l'angoisse, *par Eric Ambler*
P443. Milena, *par Margarete Buber-Neumann*
P444. La Compagnie des loups et autres nouvelles
par Angela Carter
P445. Tu vois, je n'ai pas oublié
par Hervé Hamon et Patrick Rotman
P446. Week-end de chasse à la mère
par Geneviève Brisac
P447. Un cercle de famille, *par Michèle Gazier*
P448. Étonne-moi, *par Guillaume Le Touze*
P449. Le Dimanche des réparations, *par Sophie Chérer*
P450. La Suisse, l'Or et les Morts, *par Jean Ziegler*

P451. L'Humanité perdue, *par Alain Finkielkraut*
P452. Abraham de Brooklyn, *par Didier Decoin*
P454. Les Immémoriaux, *par Victor Segalen*
P455. Moi d'abord, *par Katherine Pancol*
P456. Traité du zen et de l'entretien des motocyclettes *par Robert H.Pirsig*
P457. Un air de famille, *par Michael Ondaatje*
P458. Les Moyens d'en sortir, *par Michel Rocard*
P459. Le Mystère de la crypte ensorcelée *par Eduardo Mendoza*
P460. Le Labyrinthe aux olives, *par Eduardo Mendoza*
P461. La Vérité sur l'affaire Savolta, *par Eduardo Mendoza*
P462. Les Pieds-bleus, *par Claude Ponti*
P463. Un paysage de cendres, *par Élisabeth Gille*
P464. Un été africain, *par Mohammed Dib*
P465. Un rocher sur l'Hudson, *par Henry Roth*
P466. La Misère du monde *sous la direction de Pierre Bourdieu*
P467. Les Bourreaux volontaires de Hitler *par Daniel Jonah Goldhagen*
P468. Casting pour l'enfer, *par Robert Crais*
P469. La Saint-Valentin de l'homme des cavernes *par George Dawes Green*
P470. Loyola's blues, *par Erik Orsenna*
P471. Une comédie française, *par Erik Orsenna*
P472. Les Adieux, *par Dan Franck*
P473. La Séparation, *par Dan Franck*
P474. Ti Jean L'horizon, *par Simone Schwarz-Bart*
P475. Aventures, *par Italo Calvino*
P476. Le Château des destins croisés, *par Italo Calvino*
P477. Capitalisme contre capitalisme, *par Michel Albert*
P478. La Cause des élèves, *par Marguerite Gentzbittel*
P479. Des femmes qui tombent, *par Pierre Desproges*
P480. Le Destin de Nathalie X, *par William Boyd*
P481. Le Dernier Mousse, *par Francisco Coloane*
P482. Jack Frusciante a largué le groupe, *par Enrico Brizzi*
P483. La Dernière Manche, *par Emmett Grogan*
P484. Les Lauriers du lac de Constance, *par Marie Chaix*
P485. Les Fous de Bassan, *par Anne Hébert*
P486. Collection de sable, *par Italo Calvino*
P487. Les étrangers sont nuls, *par Pierre Desproges*
P488. Trainspotting, *par Irvine Welsh*
P489. Suttree, *par Cormac McCarthy*
P490. De si jolis chevaux, *par Cormac McCarthy*

P491. Traité des passions de l'âme
par António Lobo Antunes
P492. N'envoyez plus de roses, *par Eric Ambler*
P493. Le corps a ses raisons, *par Thérèse Bertherat*
P494. Le Neveu d'Amérique, *par Luis Sepúlveda*
P495. Mai 68, histoire des événements
par Laurent Joffrin
P496. Que reste-t-il de Mai 68 ?,
essai sur les interprétations des « événements »
par Henri Weber
P497. Génération
1.Les années de rêve
par Hervé Hamon et Patrick Rotman
P498. Génération
2.Les années de poudre
par Hervé Hamon et Patrick Rotman
P499. Eugène Oniéguine, *par Alexandre Pouchkine*
P500. Montaigne à cheval, *par Jean Lacouture*
P501. Le Mendiant de Jérusalem, *par Elie Wiesel*
P502. … Et la mer n'est pas remplie, *par Elie Wiesel*
P503. Le Sourire du chat, *par François Maspero*
P504. Merlin, *par Michel Rio*
P505. Le Semeur d'étincelles, *par Joseph Bialot*
P506. Hôtel Pastis, *par Peter Mayle*
P507. Les Éblouissements, *par Pierre Mertens*
P508. Aurélien, Clara, mademoiselle
et le lieutenant anglais, *par Anne Hébert*
P509. Dans la plus stricte intimité, *par Myriam Anissimov*
P510. Éthique à l'usage de mon fils, *par Fernando Savater*
P511. Aventures dans le commerce des peaux en Alaska
par John Hawkes
P512. L'Incendie de Los Angeles, *par Nathanaël West*
P513. Montana Avenue, *par April Smith*
P514. Mort à la Fenice, *par Donna Leon*
P515. Jeunes Années, t. 1, *par Julien Green*
P516. Jeunes Années, t. 2, *par Julien Green*
P517. Deux Femmes, *par Frédéric Vitoux*
P518. La Peau du tambour, *par Arturo Perez-Reverte*
P519. L'Agonie de Proserpine, *par Javier Tomeo*
P520. Un jour je reviendrai, *par Juan Marsé*
P521. L'Étrangleur, *par Manuel Vázquez Montalbán*
P522. Gais-z-et-contents, *par Françoise Giroud*
P523. Teresa l'après-midi, *par Juan Marsé*
P524. L'Expédition, *par Henri Gougaud*
P525. Le Grand Partir, *par Henri Gougaud*

P526. Le Tueur des abattoirs et autres nouvelles
par Manuel Vázquez Montalbán
P527. Le Pianiste, *par Manuel Vázquez Montalbán*
P528. Mes démons, *par Edgar Morin*
P529. Sarah et le Lieutenant français, *par John Fowles*
P530. Le Détroit de Formose, *par Anthony Hyde*
P531. Frontière des ténèbres, *par Eric Ambler*
P532. La Mort des bois, *par Brigitte Aubert*
P533. Le Blues du libraire, *par Lawrence Block*
P534. Le Poète, *par Michael Connelly*
P535. La Huitième Case, *par Herbert Lieberman*
P536. Bloody Waters, *par Carolina Garcia-Aguilera*
P537. Monsieur Tanaka aime les nymphéas
par David Ramus
P538. Place de Sienne, côté ombre
par Carlo Fruttero et Franco Lucentini
P539. Énergie du désespoir, *par Eric Ambler*
P540. Épitaphe pour un espion, *par Eric Ambler*
P541. La Nuit de l'erreur, *par Tahar Ben Jelloun*
P542. Compagnons de voyage, *par Hubert Reeves*
P543. Les amandiers sont morts de leurs blessures
par Tahar Ben Jelloun
P544. La Remontée des cendres, *par Tahar Ben Jelloun*
P545. La Terre et le Sang, *par Mouloud Feraoun*
P546. L'Aurore des bien-aimés, *par Louis Gardel*
P547. L'Éducation féline, *par Bertrand Visage*
P548. Les Insulaires, *par Christian Giudicelli*
P549. Dans un miroir obscur, *par Jostein Gaarder*
P550. Le Jeu du roman, *par Louise L.Lambrichs*
P551. Vice-versa, *par Will Self*
P552. Je voudrais vous dire, *par Nicole Notat*
P553. François, *par Christina Forsne*
P554. Mercure rouge, *par Reggie Nadelson*
P555. Même les scélérats..., *par Lawrence Block*
P556. Monnè, Outrages et Défis
par Ahmadou Kourouma
P557. Les Grosses Rêveuses, *par Paul Fournel*
P558. Les Athlètes dans leur tête, *par Paul Fournel*
P559. Allez les filles !, *par Christian Baudelot*
et Roger Establet
P560. Quand vient le souvenir, *par Saul Friedländer*
P561. La Compagnie des spectres, *par Lydie Salvayre*
P562. La Poussière du monde, *par Jacques Lacarrière*
P563. Le Tailleur de Panama, *par John Le Carré*
P564. Che, *par Pierre Kalfon*

P565. Du fer dans les épinards, et autres idées reçues
par Jean-François Bouvet
P566. Étonner les Dieux, *par Ben Okri*
P567. L'Obscurité du dehors, *par Cormac McCarthy*
P568. Push, *par Sapphire*
P569. La Vie et demie, *par Sony Labou Tansi*
P570. La Route de San Giovanni, *par Italo Calvino*
P571. Requiem caraïbe, *par Brigitte Aubert*
P572. Mort en terre étrangère, *par Donna Leon*
P573. Complot à Genève, *par Eric Ambler*
P574. L'Année de la mort de Ricardo Reis
par José Saramago
P575. Le Cercle des représailles, *par Kateb Yacine*
P576. La Farce des damnés, *par António Lobo Antunes*
P577. Le Testament, *par Rainer Maria Rilke*
P578. Archipel, *par Michel Rio*
P579. Faux Pas, *par Michel Rio*
P580. La Guitare, *par Michel del Castillo*
P581. Phénomène futur, *par Olivier Rolin*
P582. Tête de cheval, *par Marc Trillard*
P583. Je pense à autre chose, *par Jean-Paul Dubois*
P584. Le Livre des amours, *par Henri Gougaud*
P585. L'Histoire des rêves danois, *par Peter Høeg*
P586. La Musique du diable, *par Walter Mosley*
P587. Amour, Poésie, Sagesse, *par Edgar Morin*
P588. L'Enfant de l'absente, *par Thierry Jonquet*
P589. Madrapour, *par Robert Merle*
P590. La Gloire de Dina, *par Michel del Castillo*
P591. Une femme en soi, *par Michel del Castillo*
P592. Mémoires d'un nomade, *par Paul Bowles*
P593. L'Affreux Pastis de la rue des Merles
par Carlo Emilio Gadda
P594. En sortant de l'école, *par Michèle Gazier*
P595. Lorsque l'enfant paraît, t.1, *par Françoise Dolto*
P596. Lorsque l'enfant paraît, t.2, *par Françoise Dolto*
P597. Lorsque l'enfant paraît, t.3, *par Françoise Dolto*
P598. La Déclaration, *par Lydie Salvayre*
P599. La Havane pour un infant défunt
par Guillermo Cabrera Infante
P600. Enfances, *par Françoise Dolto*
P601. Le Golfe des peines, *par Francisco Coloane*
P602. Le Perchoir du perroquet, *par Michel Rio*
P603. Mélancolie Nord, *par Michel Rio*
P604. Paradiso, *par José Lezama Lima*
P605. Le Jeu des décapitations, *par José Lezama Lima*

P606. Bloody Shame, *par Carolina Garcia-Aguilera*
P607. Besoin de mer, *par Hervé Hamon*
P608. Une vie de chien, *par Peter Mayle*
P609. La Tête perdue de Damasceno Monteiro
par Antonio Tabbuchi
P610. Le Dernier des Savage, *par Jay McInerney*
P611. Un enfant de Dieu, *par Cormac McCarthy*
P612. Explication des oiseaux, *par António Lobo Antunes*
P613. Le Siècle des intellectuels, *par Michel Winock*
P614. Le Colleur d'affiches, *par Michel del Castillo*
P615. L'Enfant chargé de songes, *par Anne Hébert*
P616. Une saison chez Lacan, *par Pierre Rey*
P617. Les Quatre Fils du Dr March, *par Brigitte Aubert*
P618. Un Vénitien anonyme, *par Donna Leon*
P619. Histoire du siège de Lisbonne, *par José Saramago*
P620. Le Tyran éternel, *par Patrick Grainville*
P621. Merle, *par Anne-Marie Garat*
P622. Rendez-vous d'amour dans un pays en guerre
par Luis Sepúlveda
P623. Marie d'Égypte, *par Jacques Lacarrière*
P624. Les Mystères du Sacré-Cœur, *par Catherine Guigon*
P625. Armadillo, *par William Boyd*
P626. Pavots brûlants, *par Reggie Nadelson*
P627. Dogfish, *par Susan Geason*
P628. Tous les soleils, *par Bertrand Visage*
P629. Petit Louis, dit XIV. L'enfance du Roi-Soleil
par Claude Duneton
P630. Poisson-chat, *par Jerome Charyn*
P631. Les Seigneurs du crime, *par Jean Ziegler*
P632. Louise, *par Didier Decoin*
P633. Rouge c'est la vie, *par Thierry Jonquet*
P634. Le Mystère de la patience, *par Jostein Gaarder*
P635. Un rire inexplicable, *par Alice Thomas Ellis*
P636. La Clinique, *par Jonathan Kellerman*
P637. Speed Queen, *par Stewart O'Nan*
P638. Égypte, passion française, *par Robert Solé*
P639. Un regrettable accident, *par Jean-Paul Nozière*
P640. Nursery Rhyme, *par Joseph Bialot*
P641. Pologne, *par James A.Michener*
P642. Patty Diphusa, *par Pedro Almodóvar*
P643. Une place pour le père, *par Aldo Naouri*
P644. La Chambre de Barbe-bleue, *par Thierry Gandillot*
P645. L'Épervier de Belsunce, *par Robert Deleuse*
P646. Le Cadavre dans la Rolls, *par Michael Connelly*
P647. Transfixions, *par Brigitte Aubert*

P648. La Spinoza connection, *par Lawrence Block*
P649. Le Cauchemar, *par Alexandra Marinina*
P650. Les Crimes de la rue Jacob, *ouvrage collectif*
P651. Bloody Secrets, *par Carolina Garcia-Aguilera*
P652. La Femme du dimanche
par Carlo Fruttero et Franco Lucentini
P653. Le Jour de l'enfant tueur, *par Pierre Pelot*
P654. Le Chamane du Bout-du-monde
par Jean Courtin
P655. Naissance à l'aube, *par Driss Chraïbi*
P656. Une enquête au pays, *par Driss Chraïbi*
P657. L'Île enchantée, *par Eduardo Mendoza*
P658. Une comédie légère, *par Eduardo Mendoza*
P659. Le Jardin de ciment, *par Ian McEwan*
P660. Nu couché, *par Dan Franck*
P661. Premier Regard, *par Oliver Sacks*
P662. Une autre histoire de la littérature française, tome 1,
par Jean d'Ormesson
P663. Une autre histoire de la littérature française, tome 2,
par Jean d'Ormesson
P664. Les Deux Léopards, *par Jacques-Pierre Amette*
P665. Evaristo Carriego, *par Jorge Luis Borges*
P666. Les Jungles pensives, *par Michel Rio*
P667. Pleine Lune, *par Antonio Muñoz Molina*
P668. La Tyrannie du plaisir
par Jean-Claude Guillebaud
P669. Le Concierge, *par Herbert Lieberman*
P670. Bogart et Moi, *par Jean-Paul Nozière*
P671. Une affaire pas très catholique
par Roger Martin
P672. Elle et Lui, *par George Sand*
P673. Histoires d'une femme sans histoire
par Michèle Gazier
P674. Le Cimetière des fous, *par Dan Franck*
P675. Les Calendes grecques, *par Dan Franck*
P676. Mon idée du plaisir, *par Will Self*
P677. Mémorial de Sainte-Hélène, tome 1
par Emmanuel de Las Cases
P678. Mémorial de Sainte-Hélène, tome 2
par Emmanuel de Las Cases
P679. La Seiche, *par Maryline Desbiolles*
P680. Le Voyage de Théo, *par Catherine Clément*
P681. Sans moi, *par Marie Desplechin*
P682. En cherchant Sam, *par Patrick Raynal*
P683. Balkans-Transit, *par François Maspero*

P684. La Plus Belle Histoire de Dieu
par Jean Bottéro, Marc-Alain Ouaknin et Joseph Moingt
P685. Le Gardien du verger, *par Cormac McCarthy*
P686. Le Prix de la chair, *par Donna Leon*
P687. Tir au but, *par Jean-Noël Blanc*
P688. Demander la lune, *par Dominique Muller*
P689. L'Heure des adieux, *par Jean-Noël Pancrazi*
P690. Soyez heureux, *par Jean-Marie Lustiger*
P691. L'Ordre naturel des choses
par António Lobo Antunes
P692. Le Roman du conquérant, *par Nedim Gürsel*
P693. Black Betty, *par Walter Mosley*
P694. La Solitude du coureur de fond
par Allan Sillitoe
P695. Cités à la dérive, *par Stratis Tsirkas*
P696. Méroé, *par Olivier Rolin*
P697. Bar des flots noirs, *par Olivier Rolin*
P698. Hôtel Atmosphère, *par Bertrand Visage*
P699. Angelica, *par Bertrand Visage*
P700. La petite fille qui aimait trop les allumettes
par Gaétan Soucy
P701. Je suis le gardien du phare, *par Eric Faye*
P702. La Fin de l'exil, *par Henry Roth*
P703. Small World, *par Martin Suter*
P704. Cinq photos de ma femme, *par Agnès Desarthe*
P705. L'Année du tigre, *par Philippe Sollers*
P706. Les Allumettes de la Sacristie
par Willy Deweert
P707. Ô mort, vieux capitaine..., *par Joseph Bialot*
P708. Images de chair, *par Noël Simsolo*
P709. L'Œuvre de Dieu, la Part du Diable
scénario par John Irving
P710. La Ratte, *par Günter Grass*
P711. Une rencontre en Westphalie
par Günter Grass
P712. Le Roi, le Sage et le Bouffon
par Shafique Keshavjee
P713. Esther et le Diplomate, *par Frédéric Vitoux*
P714. Une sale rumeur, *par Anne Fine*
P715. Souffrance en France
par Christophe Dejours
P716. Jeunesse dans une ville normande
par Jacques-Pierre Amette
P718. L'Ombre de la louve, *par Pierre Pelot*